# SUSHI

## KATSUJI YAMAMOTO
## ET ROGER W. HICKS

# SUSHI

## KATSUJI YAMAMOTO
## ET ROGER W. HICKS

*Préparer et présenter les
merveilleux plats japonais*

KÖNEMANN

Responsable éditorial : Beverly LeBlanc
Photographies: Steve Alley
Illustrations : Lorraine Harrison

Titre original : Step by Step Sushi

Cet ouvrage est un format réduit du même titre paru
aux éditions Könemann.

Copyright © 2000 pour l'édition française
Könemann Verlagsgesellschaft mbH
Bonner Strasse 126, D-50968 Cologne

Traduction de l'anglais : Isabelle Giroux-Heidling
Lecture : Roxanne Camporeale
Réalisation et PAO : Atelier Brigitte Arnaud, Paris
Fabrication : Ursula Schümer
Impression et reliure : Midas Printing Ltd
Imprimé à Hong Kong

ISBN 3-8290-4807-6
10 9 8 7 6 5 4 3 2 1

# SOMMAIRE

Les Japonais ont un sens esthétique hors du commun et, dit-on, l'art de compliquer les choses. La cérémonie du thé, qui utilise une simple boisson comme moyen d'expression artistique, est l'exemple le plus connu.

La préparation des sushis peut se révéler aussi compliquée que la cérémonie du thé si l'on veut en étudier toute l'histoire et apprendre tous les termes japonais. En effet, des années de pratique sont nécessaires pour être promu maître cuisinier de sushis (*itamae*); pourtant, vous serez surpris de la rapidité avec laquelle vous apprendrez à les faire vous-même, comme toute maîtresse de maison japonaise.

# INTRODUCTION

Ce livre a pour but de vous enseigner à préparer vos propres sushis. Auparavant, pour les apprécier, il faut savoir les déguster au restaurant et connaître quelques usages : évitez, contrairement à certaines personnes, de vous en tenir pendant des années aux assiettes composées et sachez qu'un sushi commandé à la carte se compose non d'une pièce, mais de deux pièces. Lorsque vous passez votre commande, ne demandez pas tous les sushis en une fois : commencez par quelques-uns, prenez-en d'autres ensuite. Dès que vous aurez averti que vous n'en voulez plus l'*itamae* qui vous aura posé la question, le repas sera terminé. En observant l'*itamae* travailler, vous apprendrez beaucoup sur la préparation des sushis!

L'histoire du sushi, dont on donne deux versions, mérite quelques lignes. Selon la première, le riz servait à l'origine à la conservation du poisson, mais n'était pas consommé; certains finirent par y prendre goût et c'est ainsi que naquit le sushi. Les plats de poisson fermenté existent en effet dans de nombreux pays d'Asie et portent au Japon le nom de *nare-zushi* ('sushi' s'écrit '*zushi*' dans un mot composé).

Selon la deuxième source, il y a 1 200 ans, l'empereur Keiko se vit un jour servir un plat de clams crus au vinaigre dont il aima tant la saveur qu'il fit de l'inventeur son chef cuisinier.

Ce qui est certain, en revanche, c'est que les sushis sont très appréciés et font de plus en plus d'adeptes. La saveur et la tendresse des sushis, aussi délicats que la plus fine tranche de filet mignon, persuaderont sans peine les personnes les plus réticentes à se convertir avec enthousiasme au poisson cru. Et si elles n'osent pas goûter les spécialités les plus exotiques, comme le poulpe ou l'oursin, elles peuvent très bien se contenter du thon ou du saumon blanc, des nombreuses variétés de sushis végétariens, ou d'un rouleau casher californien à base de saumon fumé et de fromage frais.

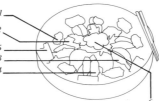

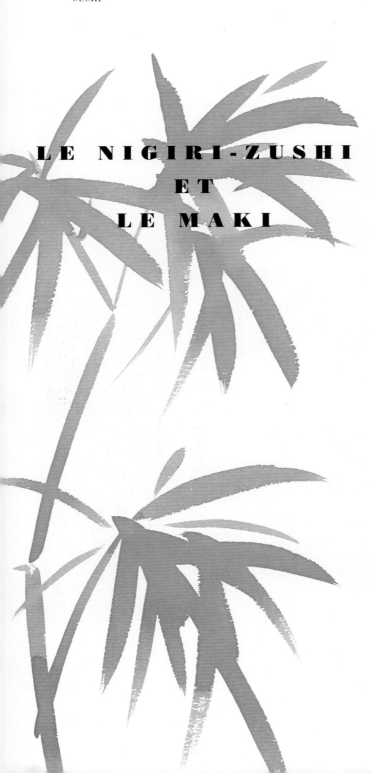

# LE NIGIRI-ZUSHI
# ET
# LE MAKI

Les sushis les plus connus en Occident et les plus estimés au Japon sont les *nigiri-zushi*. Ces sushis constituent un repas léger populaire depuis environ deux siècles - tellement plus raffiné que la restauration rapide occidentale d'aujourd'hui !

Le mot 'sushi' évoque généralement cette forme effilée propre au *nigiri-zushi*, dont la conception est en apparence assez simple : un morceau de poisson cru ou d'un autre ingrédient, enduit d'un côté de *wasabi* (moutarde ou raifort japonais) et posé sur une petite quantité de riz vinaigré. Une petite lanière de *nori* (feuille d'algue) entoure parfois ce sushi, suffisamment ferme pour être saisi avec les doigts ou les baguettes mais qui se dissout, en quelque sorte, dans la bouche. Cette préparation est plus complexe qu'elle n'en a l'air, mais vous pourrez facilement obtenir un résultat satisfaisant.

Si la garniture est de consistance molle ou semi-liquide (oursins ou œufs de poisson, par exemple), le cuisinier construira un petit 'mur' de *nori* tout autour de ce sushi qui porte alors le nom de *gunkan-maki* ce 'sushi cuirassé' ressemble effectivement à un guerrier ou à un navire blindé.

L'autre variété réputée de sushis est le *maki-zushi*, ou sushi roulé. Il en existe d'innombrables variantes, chaque cuisinier élaborant souvent ses propres spécialités. Les plus simples se composent d'une feuille de *nori* garnie d'une couche de riz vinaigrée, au centre de laquelle on dépose un morceau de poisson, d'avocat, de concombre ou d'un autre ingrédient, que l'on roule bien serré à l'aide d'une petite natte de bambou. Le rouleau est ensuite coupé en plusieurs petits tronçons, présentés dans les plus grands restaurants avec de très beaux motifs.

Les rouleaux de sushis les plus extraordinaires sont garnis, à l'extérieur du *nori*, d'une couche supplémentaire de riz, elle-même enroulée dans du poisson ou parfois de l'avocat. C'est à une telle virtuosité que l'on reconnaît les plus grands itamae !

Le *temaki*, cornet roulé à la main, est une version plus ordinaire du *maki-zushi*. La feuille de *nori* roulée est fourrée, au goût du consommateur ou du cuisinier, de riz vinaigré et d'un ingrédient au choix.

Tous les sushis roulés, même ceux que l'on coupe jusqu'en 8 morceaux, se commandent à l'unité et à la carte.

Enfin, il existe d'autres variétés de *nigiri-zushi* telles que l'inari (farci de tofu frit, voir recette p. 61), l'œil du tigre (farci de calmar, p. 90) et le sushi cuit.

*Le* hako-zushi *se prépare à l'aide d'un moule à presser dont le fond et le couvercle sont amovibles.*

LES
AUTRES
SUSHIS
ET LE
SASHIMI

### Sushi « éparpillé » *(Chirashi-zushi)*

Comme vous le devinez, les ingrédients du *chirashi-zushi* ne sont pas éparpillés sur le riz au hasard, mais si vous ne vous préoccupez pas trop d'esthétique, ce sushi est le plus simple à réaliser.
La plupart des ingrédients peuvent entrer dans la composition du chirashi-zushi (recette page 72) : poisson, légumes, omelette, poulet, œufs brouillés ou champignons shiitake.

### Sushi à la vapeur *(Mushi-zushi)*

Si vous préparez un *chirashi-zushi* à base de riz cru, vinaigré (recette p. 42), que vous faites cuire ensuite à l'étouffée et au bain-marie pendant 15 minutes, vous obtenez un *mushi-zushi*. Ce sushi est l'un des seuls à pouvoir être réchauffé, mais il ne se conserve qu'un jour ou deux au réfrigérateur.

### Sushi pressé *(Hako-zushi)*

La préparation d'un *hako-zushi* nécessite l'emploi d'un moule à presser en bois (photo ci-contre). Contrairement au *nigiri-zushi*, le riz et le poisson - ou les différents poissons - sont pressés en un seul gros bloc, découpé en tranches au moment de servir.

### Sushi fermenté *(Nare-zushi)*

Il serait à l'origine du sushi. Bien qu'il soit encore consommé dans certaines régions du Japon, il faut s'accoutumer à son goût particulier et le préparer chez soi comporte des inconvénients et des risques. Selon les variantes, le *nare-zushi* demande une année entière de fermentation avant d'atteindre le stade désiré.

### Le Sashimi

C'est simplement un sushi sans riz, dont le poisson se consomme cru ou cuit, mariné ou non. Il faut un peu d'habitude pour apprécier certaines variétés, telles que les délicieux petits calmars entiers, dont l'aspect peut déconcerter plus d'un Occidental.
Le sashimi peut se consommer en entrée, avant les sushis ou un plat cuisiné, ou constituer un repas à lui tout seul.

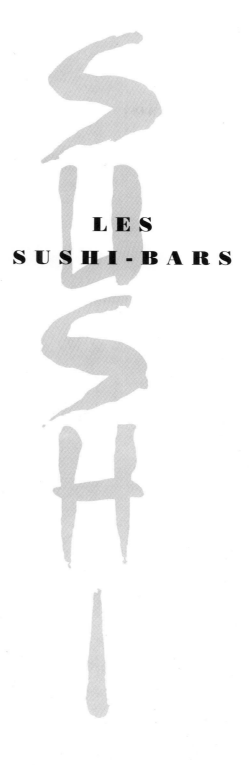

*Dans un sushi-bar : rien ne vient
troubler le travail de l'itamae.*

# LES
# SUSHI-BARS

Si l'on peut déguster les sushis dans les restaurants ou les préparer chez soi - ce que ce livre vous propose - le véritable connaisseur, le *tsu*, hante les sushi-bars.
À l'origine, on s'y arrêtait pour manger en vitesse un morceau, debout, sur le trajet du travail à la maison ou pendant l'entracte d'une pièce de théâtre. La consommation d'alcool y était interdite et la précipitation seule suffisait à créer une sorte d'effervescence.
Depuis ce temps, les sushi-bars ont bien évolué. Les plus luxueux pratiquent des prix aussi élevés que ceux d'un grand restaurant français ; d'autres, fréquentés par une clientèle essentiellement ouvrière, ont installé un téléviseur au-dessus du bar ; d'autres encore sont mécanisés : un tapis roulant fait défiler les plats devant les consommateurs assis au bar, tout autour de l'*itamae* qui remplace au fur et à mesure les assiettes manquantes. Le montant de l'addition est calculé selon la couleur du bord des assiettes et leur quantité.
Dans un sushi-bar ordinaire, les sushis ne sont servis qu'au comptoir, car il n'y a pas de table. Mais ils sont rares hors du Japon et un tsu - ou un futur *tsu* - ne fréquentera que les restaurants équipés d'un bar : là est la meilleure manière de déguster les sushis.
Du *wasabi* sera à votre disposition, pâte de couleur verte appelée raifort japonais (car elle provient d'une racine) ou moutarde japonaise (car elle est épicée), ainsi que du *gari*, gingembre émincé macéré dans le vinaigre. *Sudori shoga* est l'autre nom du *gari*, mais le véritable amateur de sushis n'emploiera que la forme abrégée. Pour vous rincer les mains, une serviette chaude vous sera parfois offerte. Si l'on ne vous sert pas d'emblée de thé, demandez-en, mais vous pouvez commander d'autres boissons (voir pages suivantes).
De nombreux bars proposent des listes de sushis sur lesquelles vous pouvez cocher votre choix - seul, ou avec l'aide de la serveuse ou de l'*itamae* lui-même. Commandez-les dans l'ordre qui vous convient. Si vous demandez à l'*itamae* de vous conseiller les meilleurs sushis, il vous répondra probablement qu'il préfère soigner sa réputation plutôt que de vous donner de la marchandise de second choix.
Prenez les sushis avec vos doigts ou vos baguettes, un peu de gingembre de temps en temps, et buvez quelques gorgées de thé entre chaque sushi pour rincer votre palais. Quant au *sake*, il se boit avant chaque bouchée, et non après.

# LE THÉ

**1** Chauffez la
théière et versez-y
l'équivalent d'une
cuillerée à café
pleine de thé
par personne.

**2** Versez sur
les feuilles de
l'eau chaude,
préalablement
bouillie. Couvrez
la théière et
laissez infuser 1 à
2 minutes.

Aux yeux d'un puriste, l'unique boisson qui accompagne les sushis est le thé : du thé vert japonais, pas indien ni chinois, et toujours nature, sans adjonction de sucre ni d'autre ingrédient.

Le thé japonais existe en différentes qualités. Le *bancha*, le moins cher, convient déjà parfaitement. Certains prennent du *sencha* de qualité supérieure, mais rarement de l'*hikicha* ou du *gyokuro*, de très haute qualité, dont la saveur délicate s'effacerait devant le goût du poisson.

Toutes les variétés de thé japonais ont ceci en commun que l'eau d'infusion ne doit pas bouillir. En règle générale, plus le thé est cher, plus la température de l'eau doit être basse et le temps d'infusion doit être court : 1 à 2 minutes à 65 °C environ pour le *gyokuro*, 2 minutes à 75-80 °C pour le *sencha*, 2 à 3 minutes dans une eau tout juste frémissante pour le *bancha*, dont les feuilles peuvent être réutilisées pour une seconde infusion.

Les feuilles de thé ne devront jamais surnager, signe d'un temps d'infusion insuffisant, ni couler au fond de la théière, signe d'un temps d'infusion trop long. Lorsque le thé est parfaitement infusé, les feuilles flottent au milieu de la tasse ; si elles se tiennent à la verticale, considérez cela comme un très bon présage.

Dans les sushi-bars, on utilise parfois du thé en poudre pour accélérer le temps de préparation. Il sera servi dans un *yunomi*, une grande tasse à thé que l'on remplit continuellement, telle une théière percée, afin de ne jamais manquer de thé. Si ce n'est pas le cas, demandez à l'*itamae*, ou à l'un de ses assistants, qu'il vous en apporte.

**3** Chauffez les
tasses à thé et
remplissez-les
aux deux tiers,
en maintenant le
couvercle de la
théière.

4 Prenez la tasse de votre main
droite et soutenez-la de la main gauche.
Le thé se boit habituellement à petit bruit,
surtout s'il est très chaud.

# LES AUTRES BOISSONS

Selon l'usage au Japon, remplissez la coupe de votre voisin sans jamais vous verser de sake vous-même. Une coupe à sake ne doit pas rester vide longtemps et se remplit jusqu'au bord. Dites « Kampai ! » et buvez d'un trait.

Bien que le thé accompagne traditionnellement les sushis, les Japonais n'hésitent pas à choisir d'autres boissons ; même les buveurs de thé savent apprécier un apéritif.

Le *sake* ou la bière sont les plus courants. Les puristes, s'ils ne boivent pas de thé, préféreront un sake sec. Cependant, comme en témoignent les publicités que l'on voit dans les sushi-bars, les brasseries japonaises tentent de faire évoluer la tradition ; Sapporo, Kirin, Asahi : toutes se font concurrence et joignent à leurs cartes des bières des guides illustrés du sushi.

Certains Japonais apprécient également le whisky. Le scotch est le plus estimé, mais le whisky japonais est tout à fait honorable : Suntory, l'une des meilleures marques, n'a rien à envier à un scotch de bonne qualité. En revanche, boire du vin avec les sushis est exceptionnel.

Si vous achetez du sake, choisissez du *kara-kuchi* sec ; les désignations 'Spécial', 'Premier' et 'Second' font plus référence au taux d'alcool qu'à la qualité. La teneur en alcool du sake varie de 16 à 19 %. Le *mirin* est un *sake* de cuisine qui ne se boit pas.

Servi parfois glacé, le *sake* se consomme généralement tiède ou chaud. Pour le faire chauffer au bain-marie, versez-le dans des petites bouteilles à sake que vous plongerez dans l'eau frémissante. Vous pouvez aussi les passer quelques instants au four à micro-ondes ! La température idéale de dégustation est celle de notre corps, soit 36 à 40 °C.

Si vous ne trouvez pas de bière japonaise, les bières allemandes et les bières brunes irlandaises comme la Guiness sont très bonnes.

Le whisky se marie remarquablement bien avec les sushis, en le consommant avec modération !

Si vous préférez le vin, choisissez un vin fort, sec, un blanc ou un rosé. Les vins rouges ne sont pas conseillés.

*Le sake, que l'on verse d'une petite
bouteille, se boit dans une très fine coupe
de porcelaine. Tendez toujours votre
coupe de la main droite en la soutenant
de votre main gauche*

## LES SUSHIS ET VOTRE SANTÉ

Depuis longtemps, les mérites des fruits de mer sont vantés par les professionnels de la santé, mais très peu d'ouvrages de diététique sont consacrés aux sushis.

D'abord, le poisson cru renferme de nombreux éléments nutritifs, des oligo-éléments et des vitamines, alors qu'en cuisant, ils sont détruits, partiellement ou entièrement.

Ensuite, les sushis constituent un repas idéal pour les personnes sujettes au cholestérol. Le *tamago* (rouleau aux œufs) est la seule véritable exception, mais les quantités consommées ne peuvent pas être néfastes.

Enfin, les sushis sont pauvres en calories. S'il est impossible de donner la valeur calorifique exacte de chaque sushi, variable en fonction des ingrédients utilisés et de sa grosseur, approximativement, deux sushis ou un rouleau apportent souvent beaucoup moins que 100 calories.

La valeur calorifique de 30 g de riz vinaigré est de 25 à 40 calories et, pour 30 g de poisson de 20 à 80 calories. Le thon, le poisson le plus gras, apporte plus de calories, tandis que les fruits de mer et les poissons maigres ne dépassent pas le taux le plus bas. Les autres ingrédients comme le *kombu* ou le *nori* (feuilles d'algue), le *gari* (gingembre macéré) et le *wasabi* (moutarde ou raifort japonais) ne font guère prendre de poids.

Pour un bon repas d'une demi-douzaine de plats accompagné de thé, boisson sans calorie, vous consommerez environ 500 calories. Pour un repas copieux, composé d'une douzaine de plats et arrosé de 3 bouteilles de *sake*, vous serez pénalisé d'un apport de 1 500 calories.

Par contre, cette cuisine présente trois aspects négatifs : le sel, les parasites et le *fugu* (ou *fougou*).

Le poisson cru est relativement salé et la sauce de soja augmente la teneur en sodium du repas, mais la quantité de sel reste assez faible et n'est pas inquiétante. Si vous préparez vos sushis vous-même, vous pouvez toujours réduire les quantités ou utiliser un produit de substitution.

Les parasites existent dans différentes variétés de poissons, notamment le saumon (qui n'est pas consommé au Japon pour cette raison), mais ils sont détruits, ainsi que leurs œufs, par la congélation.

Le fameux *fugu*, ou poisson-globe, contient une toxine mortelle dans le foie et les ovaires, dont quelque 200 personnes meurent chaque année au Japon. Seuls les *itamae* détenteurs d'une autorisation gouvernementale sont autorisés à préparer le *fugu*. Les risques sont minimes, mais si vous avez le moindre doute, évitez ce plat onéreux, qu'il est de toute façon rare de consommer hors du Japon et que l'on peut remplacer par du bar.

*Le saumon blanc (voir p. 92-93) est un poisson du Pacifique, proche du thon, et l'un des plus gras : préparé pour un sushi, il apporte 80 à 90 calories. On ne le trouve que rarement en France ; mais on lui substitue la daurade.*

# POUR PRÉPARER VOS SUSHIS

Avant d'aborder en détail la suite de ce livre, consacrée à la préparation des sushis faits maison, rappelons quelques généralités.

Tous les sushis ne se consomment pas toujours crus. Les produits de la mer servis sous cette forme, comme le calmar par exemple, peuvent souvent être préparés et cuits selon d'anciennes recettes, ce que beaucoup de *tsu* préfèrent d'ailleurs.

Certains fruits de mer, comme les crevettes, doivent être de première fraîcheur pour être consommés crus. La fameuse " crevette dansante ", qui palpite encore, bien qu'elle soit morte et déjà préparée, est l'exemple le plus classique; les autres supporteront mieux la cuisson.

Actuellement, les sushis que l'on vous sert ont été pour la plupart congelés, y compris - avec toutes les précautions requises - les crevettes crues qui seront pourtant chères.

De nombreuses variétés de poissons et de fruits de mer se trouvent uniquement sous la forme surgelée, excepté dans les sushi-bars les plus chers du Japon, et demandent un temps de décongélation assez long (une nuit au réfrigérateur).

Les ingrédients utilisés varient souvent selon les pays. Le saumon, par exemple, qui est couramment employé dans la préparation des sushis en Californie, l'est rarement au Japon. Nous ne lui consacrons donc pas de chapitre particulier et le proposons avec le flétan. Dans la mesure du possible, nous avons regroupé sous un même chapitre les poissons préparés selon les mêmes recettes.

Les sushis étant de plus en plus renommés, le poisson est maintenant livré régulièrement par avion aux quatre coins de la planète. Les Japonais achètent des produits du monde entier et de nombreux sushi-bars de Tokyo ne sont plus à la portée de toutes les bourses.

Cependant, tous les sushis ne sont pas inabordables. La 'chair de crabe', à base de poisson blanc reconstitué et assaisonné, est un excellent ingrédient bon marché. Si l'on veut préparer des sushis soi-même, il est donc plus facile de servir, en entrée plus qu'en plat principal, plusieurs sortes de poissons. Inutile de vouloir rivaliser avec un sushi-bar qui propose deux ou trois douzaines de variétés différentes.

Lorsque nous vous donnons certaines indications de préparation, respectez plus le déroulement des opérations et les temps de cuisson que les quantités exactes. Les mesures de sucre, de sel ou de sauce de soja peuvent être adaptées au goût de chacun.

*Quelques sushis à préparer facilement soi-même...*
1 Temaki *de légumes (p. 88)*
2 Crevette *(p. 80)*
3 Saumon blanc *(p. 92)*
4 Chair de crabe reconstituée
5 Gunkan-maki
6 Pousses de daikon *blanchies*

# LES USTENSILES

L'élément essentiel est l'eau courante, car vous allez constamment devoir laver vos mains, vos couteaux, vos torchons et votre natte de bambou.

La planche à découper (*manaita*) en bois est plus traditionnelle, mais elle conviendra si elle est en plastique. Les dimensions idéales sont de 30 x 45 cm. L'odeur du poisson étant tenace, réservez la planche en bois - ou la même face de la planche - pour découper poissons et fruits de mer.

Si un maître cuisinier possède tout un jeu de couteaux (*hōchō*), il utilisera en général les trois mêmes : le *banno-bōchō* à tout faire, le *deba-bōchō* pour hacher, le *nakiri-bōchō* carré pour couper les légumes. Les deux autres couteaux importants que possèdent la plupart des cuisiniers sont le *sashimi-bōchō*, couteau long et fin pour lever les filets, et le *sushikiri-bōchō*, communément appelé *yanagi*.

Un grand couteau de cuisine léger et de bonne qualité vous suffira pour presque toutes ces opérations. Choisissez la taille qui vous convient le mieux (la lame devrait mesurer entre 17,5 et 25 cm) et affûtez-le régulièrement, sinon vous risqueriez de déchiqueter le poisson en lambeaux et vos sushis ne seraient pas très réussis. Lavez et séchez votre couteau après chaque utilisation, et rangez-le soigneusement.

Une passoire (*zaru*), en plastique ou en émail, est indispensable pour bien égoutter les aliments. Si vous utilisez un véritable zaru en bambou - d'un prix abordable - il faut le sécher et le laisser à l'air libre pour éviter qu'il moisisse.

Un *makisu* (petite natte de bambou à rouler), une poêle à omelette, une râpe, un écailleur et quelques fines brochettes compléteront votre batterie de cuisine japonaise. Une poêle à omelette traditionnelle (*tamago-yaki nabe*) est carrée et ses bords ont environ 2 cm de hauteur. Sa forme particulière permet de plier facilement l'omelette plusieurs fois et de la découper proprement. Les poêles en fonte sont plus traditionnelles, mais de nombreux cuisiniers utilisent des poêles en aluminium lourd. Si vous voulez préparer un 'sushi pressé', vous aurez besoin d'un moule en bois.

Les ustensiles nécessaires à la préparation du riz sont présentés aux pages 42-43.

Un zaru *(passoire en bambou) est utilisé traditionnellement pour égoutter les aliments.*

L'oroshi-gane *(râpe japonaise) est percée de trous très fins. En métal ou en céramique, elle est souvent munie d'un réservoir pour recueillir les jus. Idéale pour râper le daikon, le gingembre et le wasabi ; mais la grille fine d'une râpe ordinaire convient très bien.*

Un petit makisu *(natte de bambou) sert à la préparation des rouleaux (maki). Les sushis peuvent se rouler à la main, sauf qu'ils sont moins fermes et moins réguliers.*

Un itamae *attache une grande valeur à ses couteaux : certains se transmettent de père en fils. Ils sont fournis avec leurs fourreaux.*

# LES TECHNIQUES DU SUSHI

Nous avons volontairement sélectionné ici un choix de recettes que vous pouvez réaliser chez vous. Dans une certaine mesure, la préparation des sushis est une question de technique ; au-delà, c'est de l'art. Les prix pratiqués par les meilleurs restaurants de Tokyo ne sont dus ni à la qualité des ingrédients, ni au cadre, mais à la virtuosité artistique et manuelle déployée dans l'exécution des plats.

Parce qu'une telle présentation influe beaucoup sur la façon de déguster les sushis dans un grand restaurant, on se laisse facilement impressionner par un tel talent. Appliquez plutôt les techniques de base que ce livre vous enseigne et observez l'*itamae* qui travaille derrière son comptoir ; avec le temps, vous pourrez commencer à vous préoccuper d'art autant que de technique.

Le grand secret de la préparation des sushis est, avant tout, d'avoir les mains toujours humides pour éviter que le poisson sèche et que le riz colle aux doigts. (Ce problème s'est posé tout au long de la réalisation photographique de ce livre : habituellement, un *itamae* travaille vite, car une préparation trop lente est synonyme de sushis desséchés). Dans un bol, mélangez la valeur de 2 cuillerées à soupe de vinaigre à 500 ml d'eau et ajoutez-y une rondelle de citron. Vous l'utiliserez pour vos mains et votre couteau.

Les couteaux doivent être toujours humides et fréquemment nettoyés. Pour cela, vous pouvez soit essuyer la lame avec un torchon humide, soit tremper la pointe dans l'eau et taper le manche sur la table, verticalement, pour humecter la lame uniformément. Évitez soigneusement que votre couteau transmette certaines odeurs - notamment celle de l'oignon - à d'autres ingrédients.

N'hésitez pas à trier la chair des poissons, tant pour une question d'esthétique que de goût ; la peau, les arêtes et les morceaux abîmés n'ont pas leur place dans les sushis. Il faut couper la chair très sombre du ventre des poissons gras, dont le goût prononcé n'est pas toujours apprécié.

Les cuisiniers utilisent de lourdes pinces à bout plat pour désosser les filets. Vous vérifierez avec les doigts. Pour émincer un bloc de filet de poisson, coupez d'abord l'extrémité (voir photo ci-contre). Ne l'utilisez pas pour préparer les *nigiri-zushi*, car elle est moins tendre qu'un morceau découpé en biais et paraîtrait un peu curieuse. Cette technique se nomme *sakudori*. Réservez les morceaux de forme grossière pour les rouleaux.

Si les longues baguettes que l'on emploie pour la cuisine ne sont pas indispensables, elles sont parfois très utiles. Les unes, en bois, servent à battre les œufs et à cuire l'omelette ; les autres, terminées par une pointe en métal, permettent de soigner la présentation des sushis.

Les sushis de petite taille sont moins impressionnants que les grands, donnent plus de travail et se dessèchent plus vite, mais ils sont plus faciles à manger en une seule bouchée.

*Le poisson est toujours émincé en biais.*

*Pour partager une feuille de* nori, *utilisez une lame de couteau ; n'essayez pas de la casser à la main.*

*Si les légumes sont longs et fins, préparer une julienne vous permettra de les couper en dés plus facilement.*

*Gardez un bol d'eau avec une rondelle de citron à portée de main pour humecter régulièrement votre couteau.*

# L'ACHAT DU POISSON

*Le choix des ingrédients les plus fins et les plus frais est essentiel dans la cuisine japonaise. Professionnels ou amateurs, les cuisiniers se fournissent chaque jour dans les marchés aux poissons.*

Il est indispensable d'acheter des produits de première fraîcheur pour préparer les sushis, l'idéal étant de se procurer du poisson tout frais pêché. Dans certains restaurants du Japon, les filets sont découpés sur le poisson vivant qui retourne ensuite dans l'aquarium. Congelées immédiatement après la pêche, certaines variétés de poissons gras et de fruits de mer supporteront d'être décongelées pour la préparation des sushis; les autres deviendront fades ou ternes.

Dans nos pays occidentaux, il faut choisir un bon poissonnier. Les yeux du poisson doivent être clairs et brillants, ni creux ni sanguinolents, les écailles intactes et luisantes, les ouïes rouge vif et la chair élastique au toucher. Il ne doit pas 'sentir le poisson', au plus dégager une légère odeur de marée. Préparez votre poisson le plus tôt possible (voir pages suivantes). Si vous ne le consommez pas immédiatement, gardez-le au réfrigérateur recouvrez-le d'un linge humide pour quelques heures, ou enveloppez-le dans du film alimentaire si vous le laissez toute la nuit.

Si vous pêchez vous-même, pratiquez une incision derrière les ouïes et une autre juste au-dessus de la queue, puis laissez le sang s'écouler; gardez le poisson dans de la glace, pour qu'il se conserve dans les meilleures conditions.

Si vous achetez du poisson surgelé, laissez-le décongeler très lentement, même une nuit entière, au bas du réfrigérateur. Évitez de le faire tremper car il perdrait beaucoup de sa saveur; si vous êtes pressé, plongez-le dans un demi-litre d'eau : avec 2 cuillerées à soupe de sel pour les poissons d'eau douce, 1 seule pour les poissons de mer.

Si vous achetez des morceaux ou des filets préparés, vérifiez que la chair soit ferme, luisante à l'intérieur et le sang bien rouge.

Tous les fruits de mer doivent être achetés vivants; mais vous aurez plus de difficultés à trouver du calmar ou du poulpe vivant que des praires, des ormeaux ou des crevettes. Certains ne doivent pas flotter à la surface; d'autres doivent être lourds et bien fermés. Pour les conserver ainsi pendant quelques jours, gardez-les au frais dans de l'eau à une température de 5 à 6 °C.

# LEVER LES FILETS

Il existe deux méthodes pour lever les filets lorsque l'on prépare des sushis : *sanmai oroshi*, employée pour la plupart des poissons, qui vous donnera deux filets et une arête centrale, et *gomai oroshi* (décrite pages 30-31, réservée aux gros poissons et aux poissons plats).

## La méthode en trois morceaux
### *(Sanmai Oroshi)*

Si vous devez écailler votre poisson (celui que nous avons choisi sera servi avec la peau), maintenez fermement la tête et grattez les écailles à rebours (prudemment !) sur les deux faces. Vous pouvez tenir le poisson par la queue, jamais par le corps, pour ne pas risquer d'abîmer et de ramollir la chair. Durant toute l'opération, lavez fréquemment le poisson à l'eau légèrement salée.

**1** Placez la tête du poisson à votre gauche (si vous êtes droitier) et coupez à la base, en biais, avec un couteau bien aiguisé.

**2** Incisez le long du ventre, jusqu'à la nageoire pelvienne (anus).

**3** Otez l'estomac et les viscères.

**5** Posez l'autre moitié face contre table. En la maintenant de votre main gauche, fendez le dos du poisson en faisant glisser le couteau, vers la queue, entre la chair et l'arête.

**4** Main gauche posée à plat, fendez le dos du poisson en faisant glisser votre couteau, vers la tête, le long des arêtes. Retirez le filet.

**6** Tournez le poisson et coupez la base de la queue pour retirer le second filet. Ôtez les arêtes.

**7** Le poisson se compose maintenant de trois parties : deux filets latéraux et une arête. Si les filets sont très gros, coupez-les en deux dans le sens de la largeur, ou employez la méthode gomai oroshi.

# LEVER LES FILETS

## La méthode en cinq morceaux
### (Gomai Oroshi)

Cette méthode a deux variantes, l'une utilisée pour
les poissons plats, l'autre pour les grands poissons
tels que la bonite, proche du thon. Si vous essayez de
préparer de grands poissons en utilisant *sanmai oroshi*, vous risquez, en retirant de très gros filets en une
seule fois, d'abîmer la chair qui ne conviendra pas
pour vos sushis.

**PREMIÈRE VARIANTE : LES POISSONS PLATS**

**1** Posez votre main gauche (si vous êtes droitier)
sur la tête du poisson et pratiquez deux
incisions profondes derrière les ouïes.

**2** Retournez le poisson et coupez la tête. Pressez-
le pour extraire l'estomac et les viscères et
nettoyez-le soigneusement sous l'eau froide.

**3** Retournez de nouveau le poisson et incisez,
vers la queue, jusqu'à l'arête centrale.

**4** Maintenez votre couteau à plat et faites
glisser la lame le long des arêtes pour
dégager la chair.

## Deuxième variante : les gros poissons

Pour un gros poisson comme le thon, ou la bonite que nous avons choisie ici, il faut retirer les viscères et couper la tête avant de suivre ces 3 étapes.

**1** Incisez profondément la chair du poisson vers la queue, le long de la face latérale.

**5** Partant de la queue, glissez le couteau en suivant le bord extérieur du poisson pour lever le premier filet. Tournez le poisson et recommencez les étapes 3 à 5 pour lever le second filet dorsal.

**2** Pratiquez une seconde incision à partir de l'arête dorsale. Levez le filet.

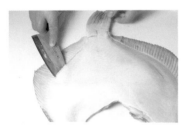

**6** Retournez le poisson et levez les deux filets latéraux du le ventre.

**7** Votre poisson se compose maintenant de cinq parties. Vous obtenez également quatre morceaux d'engawa, cette chair qui borde les nageoires latérales. L'engawa est très prisé, mais seul un grand poisson en procure une quantité suffisante pour le consommer.

**3** Coupez en partant d'en haut pour retirer le filet ventral. Recommencez les étapes 1 à 3 pour l'autre côté.

# LES LÉGUMES

*Comme d'autres légumes, le*
daikon *peut se découper en un seul
et long ruban. Il est ensuite
tranché en lanières longues de
20 cm, que l'on empile les unes sur
les autres pour les émincer très
finement : ces 'cheveux d'ange'
serviront à la décoration de
certains plats.*

*Daikon (radis) macéré,
concombre, avocat, wakegi
(ciboules) et racine de gingembre.*

**Avocat :** l'introduction de l'avocat dans la préparation des sushis est assez récente. Son goût s'accommode parfaitement de différentes variétés de *maki* (rouleaux) et sa couleur convient très bien au rouleau 'arc-en-ciel' (voir p. 66).

**Carotte (ninjin) :** comme l'avocat, elle est appréciée autant pour sa saveur que pour sa couleur. La carotte est un ingrédient primordial dans le 'rouleau de légumes' (voir p. 50).

**Concombre (kappa) :** le concombre est l'un des ingrédients de base des rouleaux végétariens et il est souvent utilisé pour décorer certains plats (voir p. 40-41). Les concombres japonais sont plus petits et ont moins d'eau que nos variétés occidentales.

**Daikon :** parfois appelé 'radis', il est plus gros et plus doux que les petits radis rouges occidentaux. Si vous ne le trouvez pas, essayez les épiceries indiennes et pakistanaises, où il est vendu sous le nom hindi de "*mooli*".

**Kampyo :** courge séchée (voir p. 38-39).

**Natto :** préparation légèrement gluante à base de haricots de soja, difficile à se procurer en Occident.

**Ciboule (wakegi) :** la ciboule est utilisée dans certaines variétés modernes de sushis. Un 'rouleau casher' (voir p. 72) est composé de saumon fumé, de fromage frais et de ciboule. Son goût prononcé a tendance à masquer la saveur délicate du sushi.

**Algue :** la plus employée est le nori vert foncé ou noir, une 'feuille' d'algue pourpre séchée et broyée dont on enroule le sushi. Congelée, son goût ne s'altère pas et elle se conserve au moins deux ou trois mois. Pour rehausser sa saveur, faites griller l'algue légèrement, 30 secondes, sur une seule face : en la faisant griller des deux côtés, elle perdrait de nouveau sa saveur. Une feuille entière de nori mesure 17,5 x 21 cm.

*L'ao nori*, ou nori en paillettes, est utilisé comme aromate.

Le *kombu* sert à la préparation du bouillon de *dashi* (voir p. 36-37).

**Shiitake :** ces champignons sont employés dans certains sushis (voir p. 38-39).

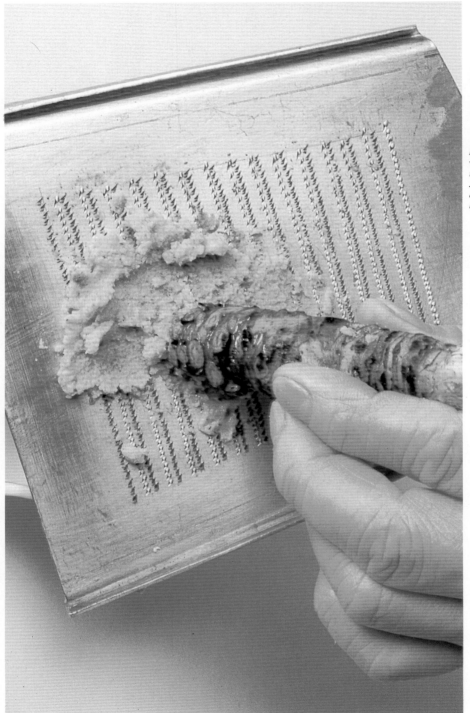

*Il est rare de trouver du wasabi frais (moutarde ou raifort japonais) hors du Japon. Le wasabi en tube ou en poudre offre une bonne alternative.*

# LES AUTRES INGRÉDIENTS

*La sauce de soja noire s'utilise couramment dans la cuisine japonaise ; la variété plus claire (à droite) est réservée aux aliments que l'on ne veut pas colorer.*

**Fromage frais :** un ingrédient typiquement non japonais (considéré comme du 'lait tourné'), mais de plus en plus employé dans la préparation de certains *maki*.

**Katsuo-bushi :** paillettes de bonite séchée utilisées pour le bouillon de *dashi* (p. 36-37).

**Mirin :** appelé également 'sake sucré', il sert à de nombreuses préparations, notamment celle du riz vinaigré. Si vous n'en trouvez pas, faites dissoudre 120 g de sucre dans 120 à 250 ml de sake sec, préalablement chauffé.

**Miso :** pâte de soja fermentée. Les variétés de couleur claire sont moins salées et plus sucrées que les autres.

**Oeufs :** les œufs de poule s'emploient pour préparer le *tamago* (omelette, p. 54), tandis que les œufs de caille sont servis en accompagnement, d'œufs de poissons par exemple. Un 'sake shooter' est un verre de sake au fond duquel repose un jaune d'œuf de caille.

**Prunes au vinaigre (ume-boshi) :** employées dans certains *maki* végétariens.

**Sauce de soja (shoyu) :** les variétés japonaises et américaines ont un goût plus fin que les sauces de soja chinoises. La sauce de soja noire courante (koi kuchi shoyu) est la plus utilisée. Si vous suivez un régime sans sel, choisissez une variété pauvre en sodium, mais ne la confondez pas avec la *usui kuchi shoyu*, plus claire mais plus salée.

**Sucre :** la cuisine japonaise est en règle générale assez sucrée. Dans les sushis, le sucre sert à la préparation du riz et au glaçage de certains plats.

**Tofu (pâte de haricots de soja) :** les petits cubes de couleur blanche sont aujourd'hui bien connus des Occidentaux et se vendent dans les supermarchés et les magasins de produits diététiques. Dans les *inari* (p. 60-61), le tofu est utilisé frit ; dans les *nigiri-zushi*, il remplace parfois le riz. S'il est excellent pour la santé, sa saveur est fade ; préférez les poissons savoureux et les condiments épicés.

**Vinaigre de riz (su) :** le vinaigre de riz japonais est de couleur paille et très doux. Ne le confondez pas avec les vinaigres de riz rouge ou noir, au goût beaucoup plus prononcé. Les vinaigres de vin, de cidre ou d'orge sont trop forts pour la plupart des plats japonais ; vous pouvez diluer du vinaigre de cidre.

*Il est préférable d'utiliser du su japonais (vinaigre de riz), mais le vinaigre de cidre dilué peut le remplacer.*

*Le mirin (sake de cuisine japonais) se vend tout préparé en bouteilles.*

*Le sake est la boisson nationale alcoolisée du Japon. Elle accompagne au mieux un repas japonais, après l'authentique thé vert.*

# LE DASHI ET LES SOUPES

L'un des ingrédients essentiels de nombreuses recettes japonaises est le *dashi*. Plus rarement utilisé dans les sushis, il est indispensable à la préparation de certains aliments cuits et des soupes.

## Le dashi

Les ingrédients sont simples : *katsuo-bushi* (paillettes de bonite séchée), *kombu* (algue), eau. Traditionnellement, le *katsuo-bushi* se vend sous forme de bloc, comme une planche d'acajou, que l'on râcle avant l'utilisation. Aujourd'hui, il s'achète surtout en paillettes prêtes à l'emploi. Vérifiez la date limite de consommation : au-delà de six mois, il ne sera plus de première fraîcheur.

Les proportions sont aussi simples : 120 g de *katsuo-bushi* pour 250 ml d'eau, additionnée d'un morceau de *kombu* de 5 à 7,5 cm2.

Portez l'eau froide avec le *kombu* à ébullition. Dès que l'eau frémit, retirez le kombu pour éviter que le bouillon devienne amer et trouble.

Ajoutez le *katsuo-bushi* au bouillon sans remuer et réduisez la chaleur. Dès que l'ébullition reprend, retirez du feu. Le *dashi* est prêt lorsque les paillettes de *katsuo-bushi* se déposent au fond de la casserole. Filtrez le bouillon pour que votre *dashi* n'ait pas un goût de poisson trop prononcé. Le *kombu* et le *katsuo-bushi* peuvent être réutilisés pour un second *dashi* moins fort.

Vous pouvez varier les quantités de *katsuo-bushi* selon votre goût et en mettre moins pour commencer. Mélangez également du *dashi* avec du poulet, du bœuf ou même du bouillon de légumes.

## Les soupes

Il existe de nombreuses variétés de soupes à base de *dashi*. Celles que l'on consomme le plus couramment avec les sushis sont le *suimono* et le *miso-dashi*.

### SUIMONO

Faites chauffer le *dashi* avec un peu de tofu, de poisson ou de poulet. Si vous choisissez le tofu, ne faites pas bouillir votre soupe pour éviter qu'il se désagrège. Ajoutez quelques paillettes d'algue ou une ciboule émincée. Habituellement, le *suimono* est servi avec une garniture de saison (*sui-kichi*), comme des feuilles de poivron. Cette présentation, trop perfectionnée et compliquée, n'est pas indispensable en Occident.

### MISO-DASHI

Le *miso-dashi* est un *suimono* épaissi d'environ 2 cuillerées à soupe de miso pour 500 ml de dashi. Il peut se préparer avec du *tofu*, des légumes de saison ou des fruits de mer.

*Le* kombu *se présente en lanières d'algue tannées et séchées. Le* katsuo-bushi *est traditionnellement vendu en bloc compact destiné à être râclé, mais il s'achète généralement sous forme de paillettes.*

*Ce miso-dashi est très joliment garni
de tofu et de poireaux.*

# KAMPYO ET SHIITAKE

Le *kampyō* provient de la peau séchée d'une gourde japonaise - ou courge calebasse - et est conditionné sous forme de longues lanières. Il sert notamment à préparer certains maki (rouleaux) et le *chirashi-zushi* (sushi 'éparpillé').

Pour reconstituer le *kampyō*, nettoyez-le vigoureusement dans l'eau, par petites quantités, frottez-le ensuite avec du sel et faites tremper 2 ou 3 heures au minimum, ou toute une nuit. Il faut le préparer pour les sushis de la manière suivante : faites-le bouillir pendant 10 minutes, jusqu'à ce qu'il devienne translucide. Faites-le cuire ensuite environ 5 minutes à feu doux dans du *dashi* (p. 36) additionné d'une cuillerée à soupe de sucre et d'une cuillerée et demi à café de sauce de soja. Ajoutez une pincée de sel pour 250 ml de *dashi*.

Les champignons *shiitake* se vendent habituellement séchés. Ils dégagent une forte odeur et coûtent très chers, mais ils sont indispensables si l'on veut donner à certains plats une saveur authentique japonaise. Lorsque vous les aurez fait tremper, ils sentiront déjà bien moins fort et augmenteront de volume. Une petite quantité de *shiitake* séchés durera longtemps et vous servira plusieurs fois.

Si vous êtes pressé, faites-les tremper pendant 30 à 40 minutes seulement, mais ôtez soigneusement les pieds durs avant la cuisson. Si vous les faites tremper toute une nuit - ou mieux, pendant 24 heures - ils seront plus tendres et vous pourrez alors les utiliser entiers.

Voici comment préparer les *shiitake*…

## Ingrédients

4 à 6 *shiitake* trempés et essorés
150 ml de l'eau de trempage des champignons
250 ml de *dashi*
1 cuillerée à café de *sake*
2 cuillerées à soupe de sucre
1 cuillerée à soupe de sauce de soja
1 cuillerée à café de *mirin*

## Préparation

Dans une casserole à fond épais, mélangez l'eau de trempage, le *dashi* et le *sake*. Portez à ébullition; ajoutez les champignons. Réduisez la chaleur et laissez frémir doucement pendant 3 minutes environ, en arrosant fréquemment.

Ajoutez le sucre et poursuivez la cuisson à feu doux à peine 10 minutes, pour faire réduire de moitié. Ajoutez la sauce de soja, après 3-4 minutes le *mirin*. Poursuivez la cuisson à feu vif en remuant la casserole afin de recouvrir uniformément les champignons de ce glaçage.

Kampyō *avant et après préparation*

*Champignons* shiitake

# LA
# GARNITURE

La limite entre légumes et éléments de garniture est assez floue, car préparer un repas de sushis est déjà une démarche esthétique en soi.

***Kappa (concombre)*** : couper des légumes pour décorer un plat est une part essentielle de la cuisine japonaise. La technique de la coupe 'en pin' est l'une des plus raffinées.

**1** Incisez l'entame d'un concombre en lignes parallèles de même longueur.

**2** Coupez à angle droit en tenant votre couteau parallèle à la planche à découper.

**3** Poussez la partie découpée sur le côté.

**4** Recommencez plusieurs fois en alternant à droite et à gauche.

**5** Des œufs d'éperlan ajoutent une touche de couleur.

*Ci-dessus et ci-contre : lamelles de* gari *enroulées pour une garniture en forme de rose.*

**1)** Incisez en longueur le centre d'une tranche de *kamaboko*. Pour réaliser une 'tresse', glissez l'une des extrémités dans la fente et poussez vers le haut.

**2)** Pour réaliser un 'nœud', incisez la tranche de *kamaboko* de la même façon. Coupez 2 bâtonnets d'une autre tranche de *kamaboko* et faites-les passer dans la fente pour créer des 'bouts'.

**3)** Un bloc de *kamako*, une 'tresse' et deux 'nœuds'.

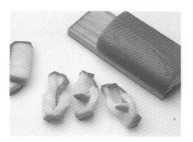

**Daikon :** couramment utilisé pour la décoration, certaines des techniques employées pour le découper s'appliquent aussi à la carotte ou au concombre.

Pour obtenir une forme de fleur, le plus simple est d'utiliser un petit emporte-pièce. Un cuisinier respectueux de la tradition préférera découper des cylindres de 5 cm de long pour les émincer ensuite. Une autre technique consiste à peler, comme avec un taille-crayon, une 'peau épaisse' de daikon : coupée en biais, elle ondulera de façon très décorative.

**Gari (gingembre au vinaigre) :** traditionnellement appelée shoga, cette racine de gingembre rose marinée est plus connue des amateurs de sushis sous le nom de gari. Elle se déguste en petites quantités à la fin d'un plat, pour préparer le palais à la saveur du plat suivant.

**Goma (graines de sésame) :** pour rehausser la saveur de certains sushis, faites-les griller au préalable dans une poêle en fonte chaude pendant une minute environ, sans cesser de remuer (elles risqueraient d'éclater ou de brûler). Le *muki goma* et le *shiro goma* sont des graines de sésame blanc, respectivement décortiquées et non décortiquées.

**Oba :** les feuilles en forme de cœur de cette plante sont appréciées pour leur forme autant que pour leur saveur.

**Hiyashi-wakame :** variété d'algue vendue séchée que l'on coupe en lanières après l'avoir fait tremper. Elle prend alors un aspect gluant et vert vif.

**Kamaboko (pain de poisson) :** garniture couramment consommée. Après avoir légèrement incisé une tranche de poisson au milieu, vous pouvez réaliser des 'tresses' en faisant passer l'extrémité de la tranche dans la fente, ou créer des 'nœuds' en pratiquant deux incisions supplémentaires; vous obtenez des 'bouts 'de *kamako* que vous passez à travers la fente.

**Wasabi :** connu également sous le nom de 'raifort japonais' parce qu'il provient d'une racine, le nom de 'moutarde japonaise' correspond mieux à sa saveur. La racine fraîche se trouve très rarement en Occident et coûte très cher, mais vous trouverez facilement du *wasabi* séché en poudre et à un prix abordable.

# LE RIZ SUSHI

C'est un riz mûr à grains courts. Certains cuisiniers se font livrer des mélanges de riz de différentes maturités pour obtenir la qualitée désirée.

Pour une cuisson parfaite, le riz suhi doit être plongé dans une quantité d'eau égale à son propre poids : un riz très jeune, plus humide, demande un peu moins d'eau qu'un autre. À vous d'expérimenter, mais en restant fidèle à la même marque, car le taux d'humidité variera moins.

■ Lavez le riz soigneusement jusqu'à ce que l'eau soit parfaitement claire. Égouttez et laissez gonfler pendant une heure.

■ La cuisson du riz sera plus facile si vous utilisez une casserole à couvercle hermétique. Portez le riz à ébullition à feu moyen et couvrez. Laissez bouillir à feu vif 2 minutes, puis à feu moyen 5 minutes, enfin à feu doux 15 minutes, jusqu'à absorption complète de l'eau. Vous devez reconnaître les différents stades de cuisson à l'oreille : le riz 'gargouille' au début; dès que l'eau a été entièrement absorbée, il commence à chuinter. Pour que votre riz soit irréprochable, n'ôtez jamais le couvercle de la casserole en cours de cuisson.

■ Une fois la cuisson terminée, retirez le couvercle, couvrez la casserole d'un torchon et laissez refroidir 10 à 15 minutes.

**1** Transvasez le riz cuit dans un *hangiri*.

■ Versez le riz dans un *hangiri* (baquet de refroidis-
sement en bois de cèdre) ou dans tout autre récipient non métallique, et éparpillez-le avec un *shamoji* (spatule à riz) ou une grande cuillère en bois.

■ Retournez le riz comme si vous labouriez la terre,
de gauche à droite et de haut en bas afin de séparer les grains, tout en versant le sushi-zu : 150 ml
suffisent pour 750 g à 1 kg de riz non cuit : il doit
coller légèrement sans être en bouillie.

■ Les grains se séparant mieux en refroidissant, il
faut éventer le riz durant toute l'opération, ce qui
lui donnera aussi un aspect plus brillant. Sauf si
vous avez trois mains, vous aurez besoin d'un
assistant muni d'un *uchiwa* (éventail) ou, moins
romantique mais aussi efficace, d'un morceau de
carton. Il faut compter environ 10 minutes pour
que le riz soit bien mélangé et à température
ambiante.

**2** Avec un shamoji, ou une grande cuillère en bois, remuez
rapidement et légèrement en coupant le riz pour séparer
les grains.

Si vous ne trouvez pas de *sushi-zu*
(vinaigre pour sushi), il suffit de
dissoudre 5 cuillerées à soupe de sucre
dans 5 cuillerées à soupe de vinaigre de
riz, avec entre 2 et 4 cuillerées à café de
sel. Chauffer au préalable le vinaigre
pour dissoudre le sucre ; refroidissez-le
rapidement en plongeant le bol dans
l'eau froide pour éviter qu'il s'évapore.

**3** Tout en versant le *sushi-zu*.

# LA TECHNIQUE DU *NIGIRI-ZUSHI*

'*Nigiri*' signifie littéralement 'presser' : c'est exacte-
ment de cela qu'il s'agit. Les personnes gauchères
devront inverser le sens des illustrations (les Japonais
sont en grande majorité droitiers).

Le 'coussinet' de riz peut avoir plusieurs formes :
*kushi-gata* ou *rikyu-gata* (dôme allongé), *ogi-gata*
(forme d'éventail, variante aplatie du *kushi-gata*),
funa-gata (notre modèle : forme de bateau, plat au-
dessus et incurvé en dessous, 'proue' et 'poupe' car-
rées), *tawara-gata* (légèrement comprimé en forme
de gros saucisson, de balle de riz ou de coton) et
*hako-gata* (pressé au moule). Les deux premiers sont
les plus courants, les deux derniers plus rares.

**2** Tout en maintenant
la boule de riz
dans votre paume,
prenez un peu de
*wasabi* sur votre
index droit et
étalez-le à
l'intérieur de
l'ingrédient.

**3** Posez la boule de
riz au milieu. En
gardant les doigts
de la main gauche
bien à plat,
pressez-la
doucement du
pouce pour former
un léger creux.

**1** Prenez votre ingrédient de la main gauche. De
l'autre, roulez une boule de riz contre la paroi
du baquet en bois que vous aurez placé à votre
droite. Cette boule, non comprimée, aura la
taille d'une balle de ping-pong.

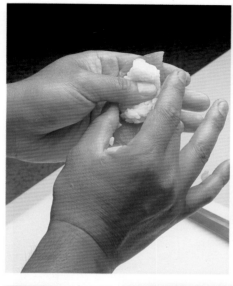

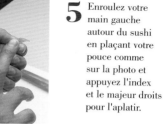

**5** Enroulez votre main gauche autour du sushi en plaçant votre pouce comme sur la photo et appuyez l'index et le majeur droits pour l'aplatir.

**4** De la main droite, comprimez les bords.

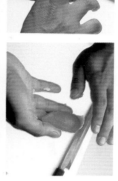

**6** Faites passer le sushi dans l'autre main.

**7** Reprenez-le dans la main gauche, mais en position inversée : la partie écrasée par votre pouce se trouve maintenant contre le bord extérieur de la main.

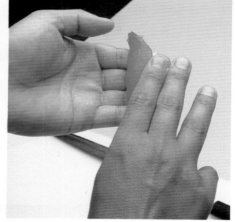

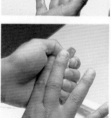

**9** Faites rouler le sushi de la paume vers les doigts de la main, pour que votre ingrédient soit au-dessus.

**8** Recommencez l'étape 5 pour égaliser l'autre extrémité du sushi.

**10** Comprimez les bords une dernière fois pour égaliser le tout.

# LA TECHNIQUE DU *MAKI*

Cette technique du *gunkan-maki*, ou 'sushi cuirassé', dont nous avons déjà parlé, est détaillée aux pages 68-69 (Les œufs de poisson).

Le *temaki* se prépare sur une feuille de *nori* (feuille d'algue) large de 2,5 cm. Un peu de riz sushi et de garniture y sont déposés et le tout est roulé à la main et collé selon la technique du *gunkan-maki* (voir p. 88-89).

Les autres *maki* sont roulés et serrés à l'aide d'un *makisu* (petite natte de bambou). Il existe des petits *maki* comme le *hoso-maki* que nous présentons ici, des *maki* épais comme le *futo-maki* (p. 56), des *maki* inversés comme le rouleau californien (p. 50) et des maki décorés comme le rouleau arc-en-ciel (p. 66). Voici la technique de base pour réaliser un *hoso-maki*…

Pour partager un rouleau dont les ingrédients sont difficiles à couper nets, comme la carotte ou le *kampyō*, sciez d'un mouvement régulier de va-et-vient jusqu'à ce que vous rencontriez une résistance. De votre main libre, frappez ensuite le dos de la lame pour trancher les morceaux.

**1** Posez une demi-feuille de *nori* sur le *makisu* et couvrez-la d'une couche de riz d'environ 1 cm d'épaisseur. Répartissez le riz sur toute la longueur, mais sans l'étaler sur toute la largeur.

**2** Garnissez le riz d'un ou de plusieurs ingrédients. Nous avons utilisé ici de la bardane, racine épicée et croustillante (que l'on se procure en conserve dans les épiceries orientales) et du *goma* (graines de sésame). Dans un rouleau de poisson, nous aurions choisi du *wasabi* (raifort japonais).

**3** Enroulez le maki dans le *makisu* en commençant par le bord le plus près de vous.

**4** Juste avant de terminer votre rouleau, relevez légèrement le *makisu*.

**5** Terminez avec le *makisu* et comprimez en arrondissant le rouleau ou en lui donnant une forme rectangulaire.

**6** Tassez les extrémités pour les égaliser.

**7** Trempez la pointe du couteau dans un bol d'eau vinaigrée contenant une rondelle de citron.

**8** Tapez le manche du couteau contre la table pour répartir l'eau sur la lame.

**9** Coupez le rouleau en deux et posez les deux moitiés côte à côte.

**10** Divisez en trois pour obtenir six morceaux de même grosseur.

**1** L'*awabi* paraît peu engageante.

**2** Retirez les parties buccales.

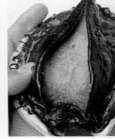

**3** Saupoudrez généreusement de sel et tapotez la coquille pour qu'il s'infiltre partout. Après une minute environ, la chair se sera contractée et durcie.

**4** Dégagez doucement l'*awabi* avec un couteau bien aiguisé.

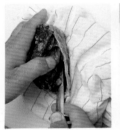

**5** Otez les viscères. L'estomac cru, émincé et assaisonné de ponzu (vinaigre de citron ; voir p. 58) et d'une petite ciboule passe pour un mets raffiné. Les autres viscères sont parfois consommés, mais généralement cuits.

**6** Nettoyez le corps de l'*awabi* à la brosse avec beaucoup de sel, jusqu'à ce qu'il soit parfaitement propre.

**7** Coupez la bande sombre qui entoure la chair. Relativement dure, elle n'est pas comestible si l'ormeau est gros.

**8** Si l'*awabi* est suffisamment grosse, vous réserverez le petit muscle du dessus pour préparer un excellent sushi. Sinon, émincez le tout en biais.

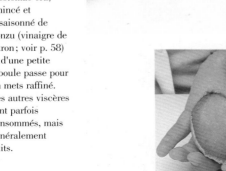

# L'ORMEAU
# (AWABI)

Le sushi d'*awabi* (ormeau) est considéré comme l'un des plus fins. Depuis les années cinquante surtout, la forme crue est très appréciée.

Plus l'*awabi* est petite, plus sa chair est tendre. Une *awabi* de 10 centimètres au plus sera servie entière, mais une plus grosse se prépare selon la recette illustrée ci-contre.

Les ormeaux vivent dans les mers tempérées et les mers chaudes, notamment près de l'Australie, le long de la côte Ouest de l'Amérique du Nord, au large du Japon, des îles Anglo-Normandes, de la côte Atlantique française, en Méditerranée, ainsi qu'en Chine et aux îles Canaries. Ils sont réputés pour être particulièrement savoureux d'avril à juin. Ils vivent dans les fonds marins, près du *kombu* et du *nori* dont ils se nourrissent. D'autres mollusques, comme les *chitons* ou les patelles, se préparent de la même façon.

**1** Étendez 1 couche de riz sushi (1 cm) sur une demi-feuille de *nori* (feuille d'algue). Saupoudrez de *goma* (graines de sésame).

**2** Retournez le tout et enduisez le *nori* d'un peu de *wasabi* (raifort japonais).

**3** Disposez au centre quelques lanières de concombre et d'avocat émincés.

**4** Complétez par la chair de crabe.

**5** Avec vos doigts, façonnez le tout comme pour un gâteau roulé.

**8** Une garniture d'œufs d'éperlan, facultative, ajoute une touche de couleur.

**6** Enveloppez de film alimentaire.

**7** Comprimez le rouleau à l'aide du *makisu*.

# LE ROULEAU CALIFORNIEN
## ET
# LE ROULEAU VÉGÉTARIEN

Comme son nom l'indique, le rouleau californien n'est guère traditionnel. Très répandu sur la côte Ouest des États-Unis, sa popularité a gagné la côte Est, mais aussi Tokyo. Sa composition, qui associe de superbes aliments (crabe cuit, avocat et concombre) séduira naturellement les consommateurs débutants qui hésitent encore à goûter les sushis de poisson cru. Plutôt que de le préparer sous forme de *hoso-maki* (peut-être trop étroit), ce rouleau se confectionne habituellement 'à l'envers'.

Les rouleaux végétariens 'inversés', plus traditionnels que les rouleaux californiens, sont moins connus des Occidentaux. Le mélange concombre-avocat-crabe est simplement remplacé par du concombre ou du *kampyō* (p. 34-35), ingrédients plus classiques. Mais si cela vous tente, vous pouvez essayer une carotte émincée finement, des pois gourmands ou même du fromage frais.

*Le rouleau californien est présenté en six petits tronçons, soigneusement découpés. Les deux extrémités, dont on laisse dépasser la feuille de nori, se placent habituellement au milieu.*

# LES CLAMS

Les Japonais consomment différentes variétés de clams dont les Occidentaux sont moins amateurs.

L'*akagai* (l'arche) est considéré comme le meilleur des coquillages bivalves pour les sushis. Son prix n'a d'égal que sa renommée et seuls les établissements les plus luxueux l'achètent non congelé.

Lorsqu'il est frais, ce coquillage mesure entre 7,5 et 10 centimètres de large ; il se nettoie généralement au vinaigre avant d'être ouvert. Certaines parties sont particulièrement prisées, notamment le muscle adducteur (*hashira*) et les filaments qui fixent la chair à la coquille *(himo)*. La coloration rouge provient de la même hémoglobine que celle du sang humain. Rares en France, vous remplacerez les arches par des bulots.

L'*aoyagi* (la vénus) est également connue sous le nom de *bakagai* ou 'coquillage fou'. Autrefois servie légèrement cuite, elle se consomme aujourd'hui crue ; le muscle adducteur est aussi très recherché.

Le long siphon musculaire (*himo*) du *mirugai* (la mye) se consomme cru dans les sushis, mais le reste de la chair n'est utilisé qu'en soupe ou en farce. Les *miru-kui* ou *miru-gai* vivent au large des côtes du Japon et de la côte nord-ouest des États-Unis.

Le pied des coques, *tori-gai*, est également très prisé. Le nom japonais provient de la ressemblance de l'extrémité plus foncée de la chair avec un bec de poulet, et de son goût que certains comparent à celui du poulet : *tori* signifie 'poulet', tandis que *kai* (qui devient *gai* dans un mot composé) signifie 'coquillage'. Traditionnellement, les coques sont accompagnées de crevettes dans un *chirashi-zushi Edomae*.

**1** *Miru-gai* signifie 'un coquillage à voir' ou 'quelque chose de remarquable'. Après avoir retiré le siphon, on l'arrose d'eau bouillante pour détacher la peau.

**2** Le siphon dépouillé et lavé est déjà plus appétissant.

**3** Comme toujours, la chair est découpée en biais. Une fois émincée, il faut l'aplatir avec le manche du couteau pour l'attendrir.

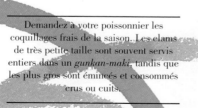

Demandez à votre poissonnier les coquillages frais de la saison. Les clams de très petite taille sont souvent servis entiers dans un *gunkan-maki*, tandis que les plus gros sont émincés et consommés crus ou cuits.

**4** La lanière de *nori* n'est pas là par fantaisie culinaire mais pour pouvoir saisir le sushi : comme certaines variétés de poissons à chair gluante, le *mirugai* peut glisser du riz s'il n'est pas maintenu.

**1** Pliez l'omelette en deux.

**2** Laissez libre la moitié de la poêle.

**3** Graissez-la avec un chiffon imbibé d'huile.

**4** Faites glisser l'omelette et huilez la seconde moitié de la poêle.

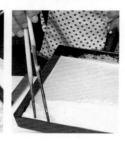

**5** Versez-y la même quantité de préparation.

**6** Soulevez l'omelette afin que le mélange se glisse au-dessous.

# L'OMELETTE
## (Tamago)

Le *tamago*, ou omelette sucrée, se mange tradition-nellement à la fin d'un repas de sushis, un peu comme un dessert. Elle est cuite dans une poêle à omelette rectangulaire. Dans un bol, mélangez les ingrédients suivants, sans réduire les quantités ; une omelette de 10 œufs serait même plus facile à préparer.

## INGRÉDIENTS

75 ml de *dashi* (voir p. 32-33)
75 g de sucre
8 ml de sauce de soja
8 ml de sake
1 pincée de sel
5 œufs
Huile végétale pour friture

## PRÉPARATION

■ Mélangez les cinq premiers ingrédients à feu doux et remuez jusqu'à dissolution complète du sucre et du sel. Laissez le bouillon refroidir à tempéra-ture ambiante.
■ Battez les œufs en faisant pénétrer le moins d'air possible (votre préparation ne doit pas mousser).
■ Mélangez les œufs au bouillon refroidi.
■ Versez 1/4 de la préparation dans une poêle légè-rement huilée, en l'inclinant pour bien répartir les œufs. Laissez cuire jusqu'à ce qu'ils commencent à prendre, tout en piquant les bulles avec une grande baguette. C'est ici que commence la diffé-rence entre le tamago et une omelette occidentale.

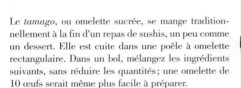

**7** Lorsque les œufs sont cuits, repliez-les à leur tour, répétez l'opération et versez un nouveau 1/4 de préparation. Recommencez une dernière fois.

**8** Laissez cuire l'omelette un peu plus longtemps, pour que le sucre caramélise en surface. Faites-la glisser sur une surface plate et laissez refroidir. Découpez en 8 petites 'briques'.

Le tamago-zushi *se compose d'une tranche d'omelette sucrée déposée sur un peu de riz et habituellement maintenue par une 'ceinture' de nori. Selon la tradition, on sert deux morceaux par personne garnis d'un peu de daikon râpé.*

# LES GROS ROULEAUX
# (Futo-maki)

Il s'agit généralement de rouleaux végétariens, mais les *futo-maki* peuvent contenir toutes sortes d'ingrédients. Ils se différencient des petits *maki* par leur taille et par la technique employée : le nori est ici enroulé en spirale à l'intérieur du rouleau.
Les ingrédients classiques sont les épinards cuits, le concombre, le *kampyō* (courge séchée), les champignons *shiitake* émincés, le *tamago* (omelette), les pousses de bambou et la racine de lotus. On peut y ajouter une préparation à base de poisson cuit, appelée *oboro*, qui s'achète prête à l'emploi ou que l'on confectionne soi-même.

## Oboro

Pour préparer l'*oboro*, faites bouillir le poisson jusqu'à ce qu'il soit parfaitement cuit, puis ôtez la peau et les arêtes. Séchez en l'essorant dans un torchon. Pilez la chair dans un mortier (ou avec un robot, mais vous n'obtiendrez pas tout à fait la même consistance). Ajoutez quelques gouttes de cochenille ou d'un autre colorant alimentaire rouge. Dans une casserole lourde, faites cuire la pâte de poisson rose avec un peu de sucre, de sake et de sel, sans cesser de remuer jusqu'à ce que tout le liquide se soit évaporé.

**1** Prenez une feuille de *nori* (feuille d'algue) entière. Recouvrez-la d'une couche de riz sushi d'environ 1 cm d'épaisseur, à l'exception d'une longue bande d'1 cm de large. Sur la bande de *nori*, écrasez quelques grains de riz qui serviront à coller le rouleau. Disposez vos ingrédients coupés en lanières dans le sens de la largeur ; ici, nous avons choisi des branches d'épinards.

**2** Du *tamago* (omelette) et de l'*oboro* ont été ajoutés, puis un peu de *kampyō*.

**3** Roulez (avec précaution) le *futo-maki* dans vos doigts. Faites rentrer les extrémités du *nori* à l'intérieur du rouleau.

**4** Comprimez le rouleau à l'aide du *makisu*, en tassant de chaque côté. Vous pouvez aussi former un *futo-maki* ovale ou rectangulaire. Pour servir, coupez le rouleau en deux, posez les 2 moitiés côte à côte et coupez-les en 4 morceaux.

# LE FLÉTAN (Hirame) ET LE SAUMON (Sake)

Les sushis de poissons plats seront toujours servis de la même façon. Selon les régions, les mêmes poissons - ou des variétés similaires - seront appelés flétan, carrelet ou plie, bien que le flétan soit en réalité beaucoup plus gros. Au menu des sushi-bars, les poissons plats portent parfois le nom bien peu appétissant de 'douve', un ver parasite qui infecte certains mollusques.

Le poisson plat japonais est de petite taille, comme le carrelet ou la plie, mais la préparation du grand *hirame* est la même. Vous obtiendrez du flétan beaucoup plus d'*engawa*, cette chair délicate que l'on découpe le long des nageoires (p. 29).

La plupart des espèces sont réputées pour être beaucoup plus savoureuses en hiver qu'en automne.

Vous pouvez vous contenter d'émincer la chair du flétan et de servir un *nigiri-zushi*, sans autre préparation, ou au préalable laissez-la légèrement mariner dans une sauce à base de ciboule, de *momigi oroshi* (pâte de piment au vinaigre) et de *ponzu* (vinaigre de citron).

Le *ponzu* s'achète tout préparé dans les magasins d'alimentation asiatique. Si vous voulez le faire vous-même, mélangez 250 ml de jus d'orange au jus d'un citron et à 1 litre de *su* (vinaigre de riz).

Dans notre restaurant le 'Yamato', nous n'utilisons pas le *ponzu* pur. Pour accommoder le poisson ou une soupe consistante (*suimono*), nous préparons une véritable sauce en faisant bouillir un litre de *ponzu* avec du *kombu* et du *katsuo-bushi* (p. 36). Il faut ensuite ajouter la même quantité de sauce de soja, 125 ml de *mirin*, et filtrer le tout.

Pour un *sashimi*, le saumon est présenté à peu près comme un poisson plat. Les Japonais consomment rarement le saumon cru, qui n'est véritablement populaire qu'en Californie sans doute. La même recette convient aussi au cabillaud, à la morue et au requin, que certains n'apprécient pas à cause de son goût de poisson trop prononcé !

*Deux* nigiri-zushi d'hirame *et de saumon.*

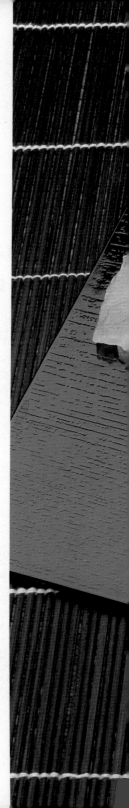

# LE TOFU FRIT (*Inari*)

L'*inari* consiste en une poche de tofu frite, au goût assez fade, braisée puis fourrée de riz sushi et éventuellement de *goma* (graines de sésame) ou de *gari* (gingembre au vinaigre). Il faut s'accoutumer à sa saveur particulière, mais elle est économique, se conserve bien, et constitue un petit en-cas idéal.

Les poches de *tofu* (age) que l'on achète surgelées ou simplement réfrigérées dans certaines épiceries asiatiques sont déjà frites. Si elles ne sont pas surgelées, elles se conservent assez mal : consommez-les en quelques jours. Faites blanchir les poches de tofu quelques minutes dans l'eau bouillante pour éliminer l'excédent d'huile, puis laissez-les s'égoutter et sécher sur du papier absorbant. Coupez-les en deux lorsqu'elles sont encore chaudes.

Prenez une demi-poche dans la paume d'une main et frappez de l'autre pour qu'elle s'ouvre au milieu. Vous pouvez maintenant l'écarter doucement pour former une grande poche.

## INGRÉDIENTS DU BOUILLON À BRAISER
### (pour 8 age)

125 ml de *dashi* (p. 36)
120 g de sucre
45 ml de sauce de soja
30 ml de *sake*

## PRÉPARATION

■ Mélangez tous les ingrédients dans une grande casserole et faites chauffer jusqu'à dissolution complète du sucre. Braisez les poches dans le liquide pendant 6-7 minutes, en arrosant fréquemment pour éviter qu'elles brûlent. Laissez refroidir à température ambiante et n'égouttez que lorsque les poches sont froides.

Une légende est à l'origine du nom *inari*. Le renard gardien des temples du dieu Inari étant, dit-on, particulièrement friand d'age, les sushis à base de ce tofu ont reçu le nom du dieu. On les appelle parfois 'sushis du renard'.

**1** Ouvrez la poche braisée.

**2** Remplissez de riz sushi et tassez avec le pouce.

**3** Présentez l'*inari* en repliant les bords.

# LE MAQUEREAU (Saba) ET L'ALOSE (Kohada)

Le maquereau (*saba*) et l'alose (*kohada*), apparentés aux harengs, s'accommodent selon la même recette. Ils font partie des *hikari-mono*, 'des choses qui brillent', poissons à peau argentée que l'on consomme le plus souvent marinés.

Selon son âge, le maquereau porte des noms différents : *kohada* quand il est jeune, puis *nakazumi* ou *shinko*, enfin *konoshiro* à l'âge adulte.

Les filets de *saba* et de *kohada* sont levés en trois morceaux (p. 28). Après les avoir abondamment saupoudrés de sel, laissez reposer le maquereau pendant 4 heures au moins et l'alose 1 heure ou 2. Lavez-les de leur sel.

Faites-les mariner dans du vinaigre, édulcoré de 2 cuillerées à soupe de sucre pour 250 ml. Habituellement, le maquereau macère entre une demi-heure et une heure (certains le laissent plus d'une journée), tandis que 15 minutes suffisent pour l'alose.

En règle générale, plus le poisson est frais, moins il doit mariner : un *kohada* tout frais pêché sera salé pendant à peine 30 minutes et mariné de 5 à 10 minutes.

*Deux* nigiri-zushi *de* kohada *et de* saba.

**1** Plus grand que le *kohada*, le *saba* est un poisson qui doit être salé et mariné plus longtemps.

**2** Contrairement au *saba* que l'on découpe en plusieurs tranches, le *kohada* se coupe en 2 morceaux seulement.

**3** On entaille légèrement la peau argentée des *hikari-mono* pour accentuer le contraste avec la chair.

D'autres *hikari-mono* typiquement japonais, dont le *kisu* (sillago) ou le *sayori*, et la plupart des petits poissons qui vivent en bancs scintillants, subissent la même préparation : harengs, sardines, anchois, pilchards, éperlans.

*Pour une question de
sécurité plus que de goût,
la chair luisante et
glissante du tako est
attachée au riz par une
'ceinture' de nori.*

**1** Les très gros tentacules feront aussi
de très bons sushis.

**2** Pour couper plus
facilement la chair
et pour obtenir
une jolie tranche,
coupez de biais en
'tortillant' la lame
d'un couteau très
aiguisé.

**3** Retirez la 'peau'
plus foncée et
laissez la chair
intacte.

# LE POULPE
# ( Tako )

Le poulpe ne se consomme jamais cru et se fait toujours cuire, au moins légèrement. Pour se procurer du
*tako* très frais, le mieux est de l'acheter vivant ou, de
s'assurer que sa mort remonte à peu de temps, même
si cela n'est pas toujours facile à déterminer. Comme
les coquillages, un poulpe avarié peut avoir des
conséquences néfastes pour l'organisme. Ne le choisissez que s'il a une peau gris clair mouchetée et si
ses tentacules rebondissent lorsque vous le secouez.
Préparer un poulpe n'est pas si difficile (ni si désa-
gréable) que vous le pensez. Les viscères se trouvent
dans la tête, que l'on retourne pour la nettoyer.
Coupez les yeux et le bec avec des ciseaux de cuisine. Lavez soigneusement le poulpe sous l'eau, en utilisant beaucoup de sel pour éliminer le dépôt visqueux et le sable; insistez sur les ventouses.
Plongez-le lentement dans une grande casserole
d'eau bouillante, en commençant par les tentacules,
jusqu'à ce qu'ils deviennent rouges et élastiques. Ce
sont eux que l'on sert en sushi.

# LE ROULEAU ARC-EN-CIEL

Le plus coloré des rouleaux 'inversés' est très répandu en Californie depuis les années cinquante. On utilisait autrefois un linge ou un second makisu humidifié (natte de bambou), mais aujourd'hui l'invention du film alimentaire a grandement facilité les choses !

La technique et les ingrédients employés sont ceux du rouleau californien (p. 50). Au 'Yamato', le rouleau arc-en-ciel figure à la carte sous le nom de 'rouleau spécial californien'.

Après avoir réalisé votre rouleau 'inversé', couvrez-le de tranches d'avocat et de poissons de différentes couleurs. Elles seront très finement émincées, tout en étant suffisamment épaisses pour bien faire ressortir les couleurs. Si vous décorez d'un peu de sésame, utilisez les graines noires : le résultat sera magnifique.

Enveloppez d'abord le rouleau de film alimentaire ; puis roulez-le avec le *makisu*. Retirez le tout et coupez en petits tronçons ; si vous en avez le courage, ne retirez le film alimentaire qu'après avoir découpé le rouleau.

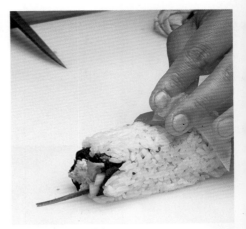

**1** Choisissez le poisson en fonction de sa couleur : du flétan pour le blanc, du saumon blanc pour le ton crème, du saumon frais ou fumé pour l'orange, de la bonite pour le rouge. Émincez très finement.

**2** Alternez les couleurs pour obtenir un bel effet.

**3** Comprimez au makisu après avoir enveloppé de film alimentaire.

Notre suggestion photographiée ici
est garnie d'un œuf de caille, un peu
à la façon d'un steak tartare.
Cette présentation raffinée est
inhabituelle, même au Japon.

**1** Pour réaliser un *gunkan-maki*, prenez la quantité habituelle de riz *sushi* et posez-la au milieu d'une longue bande de nori.

**2** Roulez le *nori* légèrement en oblique, non pour satisfaire à l'asymétrie japonaise, simplement pour travailler le rouleau plus facilement.

**3** Repliez la base du *nori* qui va adhérer au riz.

**4** Remplissez le *gunkan-maki* d'œufs de poisson (ci-dessous, des œufs de saumon).

# LES ŒUFS DE POISSON

Les variétés d'œufs de poissons sont nombreuses et leur texture molle exige la préparation d'un *gunkan-maki* (sushi 'cuirassé').

Les plus couramment utilisés - et les plus gros - sont les œufs de saumon (*ikura*), vendus en bocaux comme le caviar. S'il est trop longtemps exposé au contact de l'air, l'*ikura* devient plus terne, plus mat, mais en plongeant rapidement les œufs dans du *sake*, ils retrouvent leur aspect initial. L'*ikura* se vend parfois enveloppé de sa membrane ovarienne et se nomme alors *suzuko*.

Les œufs de cabillaud salés (*tarako*) sont une garniture très commune dans les sushis. De couleur naturelle brun rouge, ils sont nettement plus petits que ceux du saumon et souvent colorés artificiellement en rouge ou en orange vif.

Les œufs de harengs salés (*kazu-no-ko*) sont très prisés, plus peut-être pour leur symbole de fertilité que pour leur saveur, et ils coûtent très cher : le nom populaire de 'diamants jaunes' évoque autant leur prix et leur couleur que leur signification. S'ils sont encore immatures, les œufs sont moins colorés, moins brillants et meilleur marché parce qu'ils ne sont pas aussi bons.

Dans le cas de *komochi kombu*, il ne s'agit pas d'œufs prélevés directement sur le poisson vivant, mais de varech (*kombu*) sur lequel le hareng a déposé ses œufs. Il est consommé en lanières simplement posées sur une petite quantité de riz sushi. Pour préparer le *kazu-no-ko* et le *komochi kombu*, il faut les dessaler en les plongeant dans l'eau pendant au moins 2 heures. En ajoutant un peu de sel à l'eau de trempage, le processus de dessalage semble, curieusement, s'accélérer.

Les œufs de lump et le véritable caviar (œufs d'esturgeon) conviennent également. Le caviar frais et non salé serait sans doute délicieux, mais il se fait de plus en plus rare.

# LES COQUILLES SAINT-JACQUES *(Hotate-gai)* ET LES HUÎTRES *(Kaki)*

Le spectacle d'une coquille Saint-Jacques en train de nager est étonnant. Au lieu de demeurer tranquillement au fond de la mer, comme on imagine souvent les mollusques bivalves, elle ouvre et ferme sa coquille pour se déplacer à une vitesse surprenante. Le muscle adducteur, énorme, est consommé en sushi. Le reste de la chair, comme dans le cas de l'ormeau (*awabi*), est rarement préparé.

L'élevage de *hotate-gai* est très répandu au Japon, notamment aux environs de Hokkaido et d'Aomori, au nord de l'île.

Les sushi-bars utilisent pour la plupart des coquilles Saint-Jacques surgelées. Les plus petites sont coupées en tout petits morceaux et servies dans des *gunkan-maki* (sushi 'cuirassé'), tandis que les plus grosses se préparent en *nigiri-zushi* (sushi fuselé). Le muscle adducteur couleur ivoire d'une grosse coquille Saint-Jacques peut atteindre 5 centimètres de diamètre et 6 centimètres de long! Fixé au milieu de la coquille, il est entouré de chair. Comme beaucoup d'autres coquillages, la coquille Saint-Jacques est plus tendre lorsqu'elle est crue et se durcit à la cuisson : 5 minutes suffisent à lui donner la consistance du caoutchouc.

L'huître (*kaki*), plus posée, reste paisiblement assise sur son banc d'huîtres. Au Japon, elles sont souvent présentées dans leur coquille, comme en Occident, mais les petites huîtres (entières) ou les plus grosses (émincées) se préparent aussi en *gunkan-maki*.

*Huître servie dans sa coquille et garnie d'œufs de saumon, et* gunkan-maki *de coquille Saint-Jacques.*

# LE SUSHI ÉPARPILLÉ
## (Chirashi-zushi)

Photographié ci-dessous, le sushi 'éparpillé' se nomme Kanto-fu *Chirashi-zushi*, Kanto étant la région Est du Japon dont le *chirashi-zushi* est originaire. Il se compose simplement d'un lit de riz sushi sur lequel sont disposés différentes variétés de poissons, de l'omelette épaisse (*tamago*), du *kampyo* (courge séchée) et des champignons shiitake.

On peut composer une autre variété de *chirashi-zushi* en mélangeant tous les ingrédients en *gomoku-zushi* : à l'ouest du Japon (Kansai), il se nomme *chirashi-zushi* ou *Kansai-fu Chirashi-zushi*.

Parce que les variantes sont nombreuses, la préparation du *chirashi-zushi* est plus une question d'état d'esprit que de recette détaillée. Expérimentez vous-même jusqu'à trouver le mélange qui vous convient le mieux. L'un des *gomoko-zushi* les plus simples à réaliser est sans doute le *kani* (crabe) *chirashi-zushi*, une salade de riz mélangée à de la chair de crabe. Pour 225 g de chair de crabe (arosée du jus d'un demi-citron), utilisez les quantités suivantes…

## INGRÉDIENTS

500 g de riz sushi cuit (p. 42-43)
2 concombres
2 grands *shiitake* préparés selon la recette p. 38
60 g de renkon pelé (racine de lotus), disponible en
conserve dans les rayons de produits asiatiques
3 fines tranches de *tamago* (p. 54)
du bouillon de *dashi* (p. 36-37)
1 pincée de sel
3 pincées de sucre

## PRÉPARATION

■ Émincez les concombres finement et faites-les dégorger sous une fine couche de sel pendant quelques minutes. Lavez-les sous l'eau et épongez-les. Laissez tremper la racine de lotus dans de l'eau vinaigrée 10 minutes.

■ Faites bouillir juste assez d'eau pour recouvrir toutes les tranches. Ajoutez une pincée de sel et une goutte de sake. Laissez blanchir 30 secondes environ ; égouttez et faites macérer dans le bouillon de dashi ou dans de l'eau additionnée de sel et de sucre.

■ Mélangez tous les ingrédients ; réservez-en quelques-uns pour la garniture. Vous pouvez aussi garnir de *kamaboko* (pain de poisson), d'un peu plus de crabe, de crevettes bouillies, d'anguilles émincées, d'alose, de thon et de poulpe, de tamago, ou d'un peu plus de *shiitake*, de racine de lotus et d'un concombre préparés comme ci-dessus. Si vous le souhaitez, ajoutez du *gari* et du *wasabi*, ou encore du *kampyo* qui s'accommode de toujours avec un *chirashi-zushi*.

■ Il existe d'autres variétés de *chirashi-zushi* composées de tofu frit, de haricots verts, de pousses de bambou et même de poulet.

# LA DAURADE
# (Tai)

Elle peut se consommer crue. Mais la daurade (*tai*) se
fait plutôt cuire, en versant de l'eau bouillante sur la
peau du poisson.

Pour une préparation traditionnelle, levez tout
d'abord les filets selon la méthode *sanmai oroshi*
(p. 28). Couvrez le poisson d'un torchon, côté peau, et
arrosez d'eau bouillante. Si vous êtes pressé, versez
l'eau bouillante directement sur le poisson, ce qui
sera plus facile et vous donnera à peu près le même
résultat.

Vous pouvez encore servir la daurade entière. Il suffit
alors de la nettoyer, d'ôter les arêtes et de la farcir de
riz sushi. Considérée comme l'un des poissons pour
sushis les plus fins, la daurade est souvent présentée
au centre d'un 'sushi bateau' ou pour toute préparation raffinée.

Nigiri-zushi *d'un
filet de* tai *émincé.*

**1** La daurade
n'est pas un
grand poisson.
Cette préparation
ne conviendrait
pas aux variétés
voisines plus
grandes.

**2** Employez *sanmai
oroshi* pour lever les
filets si le poisson
doit servir de
garniture. (Il vous
est présenté en
'sushi bateau' sur la
couverture et sur la
page de titre de ce
livre.)

**3** Recouvrez le poisson
d'un torchon.

**4** La différence n'est peut-être ici pas très nette,
mais le poisson ébouillanté a une peau plus
mate et plus blanche que le filet cru (ci-
dessous).

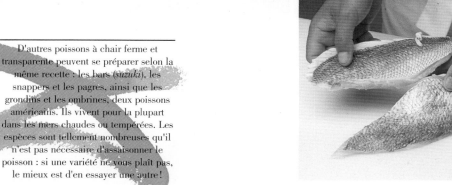

D'autres poissons à chair ferme et
transparente peuvent se préparer selon la
même recette : les bars (*suzuki*), les
snappers et les pagres, ainsi que les
grondins et les ombrines, deux poissons
américains. Ils vivent pour la plupart
dans les mers chaudes ou tempérées. Les
espèces sont tellement nombreuses qu'il
n'est pas nécessaire d'assaisonner le
poisson : si une variété ne vous plaît pas,
le mieux est d'en essayer une autre !

# LE CONGRE (Anago) ET L'ANGUILLE (Unagi)

Il faut cuire l'anguille (*unagi*) avant de la servir en sushi. Seul un petit congre (*anago*) peut être utilisé, les variétés de très grande taille étant moins savoureuses et peu commodes à préparer. Une petite unagi de 150 à 180 g sera encore meilleure.

Pour lever les filets, il faut employer une méthode particulière : la plus simple est d'épingler la tête dans la planche à découper, le dos de l'anguille étant le plus près de vous. Avec un couteau bien aiguisé, pratiquez une incision derrière la tête, juste au-dessus de l'arête, et fendez le poisson jusqu'à la queue. Levez délicatement le filet puis faites-le passer sur la planche.

Coupez l'arête au niveau de la tête et faites glisser la lame du couteau dessous, parallèlement à la planche, jusqu'à la queue. Retirez l'arête et les viscères, grattez la peau visqueuse avec le dos de la lame, rincez et égouttez.

À l'aide d'un couteau affûté, ôtez les arêtes éventuelles, même s'il s'agit de filets achetés tout prêts. Dans un liquide bouillant (composé de sauce de soja, de *sake*, de *mirin* et de sucre, en quantités égales), faites braiser le congre, la peau contre le fond du récipient, pendant 7-8 minutes. Lorsque les filets auront refroidi, faites-les griller pour qu'ils dégagent plus de saveur.

Les filets d'anguille se font griller en morceaux, côté peau d'abord, coupés comme pour une brochette classique. Faites-les cuire ensuite à la vapeur 5 minutes environ et égouttez. Arrosez d'une sauce à base de *mirin* et de sucre (1 mesure de sucre pour 3 mesures de mirin). Passez de nouveau au gril en arrosant 2 ou 3 fois en cours de cuisson.

Si vous poursuivez la cuisson du congre dans le liquide bouillant jusqu'à ce qu'il commence à réduire, vous obtiendrez une sauce marron foncé, épaisse et sirupeuse, au goût très prononcé, appelée tsu-me. Pour la préparer, continuez la cuisson en mouillant (avec un peu de sauce de soja, de sucre et de mirin) si le bouillon a tendance à sécher. Vous utiliserez cette sauce, encore épaissie par la gélatine de l'anago, en en versant quelques gouttes pour relever certains sushis.

**1** Pour éliminer le dépôt visqueux, grattez la peau avec le couteau, de droite à gauche (le mouvement est inversé quand vous regardez la photo).

**2** Retirez les arêtes.

**3** Otez l'arête centrale.

**4** Lorsque le filet d'*unagi* est cuit, il est bien plus petit que le filet cru.

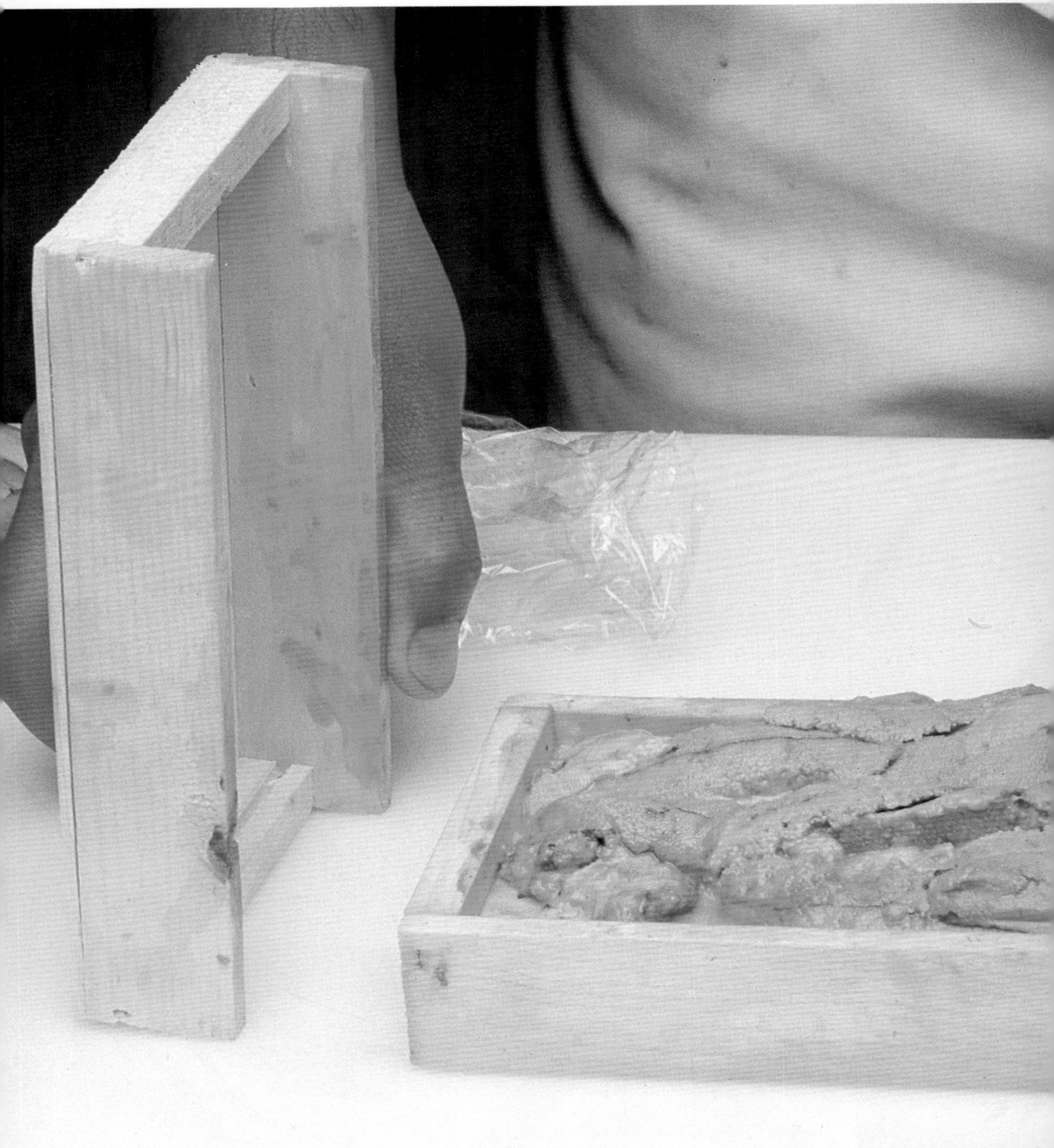

# L'OURSIN
## ( U n i )

L'intérieur de l'oursin (uni) est considéré comme un mets raffiné dans de nombreux pays. Certaines personnes mangent la chair, mais ce sont surtout les œufs que l'on consomme, agglomérés en 5 cordons verticaux fixés à la coquille.

Les oursins sont probablement encore plus périssables que les coquillages et, à moins de les ramasser vous-même, il vaut mieux se procurer des œufs déjà préparés et conditionnés dans des boîtes comme celle photographiée ci-contre. L'oursin et les œufs d'oursin (neri uni) se vendent en bocal, mais ils ne seront pas si bons que frais. La différence rappelle celle de l'ananas frais et de l'ananas en boîte.

Pour préparer un oursin frais, utilisez un grand couteau bien aiguisé pour fendre la coquille en deux : très friable, une lame trop petite ou émoussée risquerait de la broyer au lieu de la transpercer. Retirez la chair aqueuse et la bouche située au milieu. On consomme la laitance du mâle, de couleur jaune, mais les œufs orangés de la femelle sont plus prisés.

*Parce qu'il est de texture molle, l'oursin est servi dans un* gunkan-maki *(sushi 'cuirassé'). Aux États-Unis, les maki d'uni sont parfois garnis d'un œuf de caille.*

*L'oursin s'achète tout préparé et conditionné dans une boîte.*

# LES CREVETTES (Ebi)

Traditionnellement, les crevettes se servent cuites, sauf les plus fraîches que l'on peut consommer crues.

Pour que les crevettes restent droites pendant la cuisson, l'astuce est de les enfiler sur une petite brochette très fine (photo en haut à droite). Les modèles en inox sont plus pratiques, mais ils sont plus traditionnels en bambou. Si vous choisissez le bambou, humidifiez-les avant utilisation.

Lavez soigneusement les crevettes et retirez l'intestin en glissant un cure-dent entre les pattes et la carapace. Embrochez-les et mettez-les dans l'eau bouillante. Les crevettes plongent au fond de la casserole avant de remonter à la surface lorsqu'elles sont cuites. Sortez-les avec une louche et plongez-les dans l'eau glacée, ce qui ravivera leur couleur et vous permettra de les débrocher plus facilement. Tournez-les brochettes tout en les retirant.

Décortiquez les crevettes; ôtez les pattes et la tête; laissez l'extrémité de la queue intacte.

Fendez les crevettes le long du ventre et retournez-les en un joli 'papillon'. Couvrez et gardez au frais. Consommez-les assez rapidement car il est difficile de prévoir la durée de conservation !

Quelle que soit la variété, les crevettes doivent être suffisamment grosses pour constituer un sushi intéressant, mais assez petites pour rester maniables; on ne fait pas de sushis avec des langoustes ! Si vous trouvez des squilles (sauterelles de mer), à l'aspect plutôt laid mais délicieuses, vous pouvez les consommer crues ou cuites. On décortique les crevettes crues et leur queue est coupée de la même façon que les cuites, plus difficilement peut-être. Si vous choisissez des crevettes surgelées, achetez-les sous emballage individuel et à un prix élevé pour être sûr de leur qualité.

**1** En partant du bas : queue de crevette crue avec brochette en bambou, crevette cuite avec et sans brochette.

**2** Décortiquez la crevette; coupez en biais l'extrême pointe de la queue.

**3** Fendez le long du ventre sans ouvrir jusqu'au dos.

**4** Retournez la crevette en forme de 'papillon'.

# LE SAUMON FUMÉ

Ce n'est pas un ingrédient typique (les Japonais le désignent par son nom anglais 'smoked salmon'), mais il convient très bien pour les sushis.

Choisissez du saumon peu fumé, fin et translucide comme le saumon d'Écosse ou du Canada. Coupez-le en tranches fines et utilisez-le dans un rouleau arc-en-ciel (p. 66), ou pour garnir un *gunkan-maki* d'œufs de poisson ou d'oursin (*uni*).

Au 'Yamato', le saumon fumé est servi dans un 'rouleau casher' accompagné de fromage frais et, selon les goûts, de *wakegi* (ciboule) ou de concombre.

Vous pouvez aussi préparer chez vous un rouleau casher avec des morceaux ou de la terrine de saumon, plus économiques que les tranches. C'est une excellente façon de servir des sushis à ceux qui n'aiment pas, ne peuvent pas ou n'osent pas manger de poisson cru.

**1** Utilisez la technique de base du rouleau inversé (p. 50) et commencez par disposer du concombre ou de la ciboule, ou les deux à la fois.

**2** Recouvrez de plusieurs tranches de saumon fumé. Soyez généreux pour que son goût délicat ne s'efface pas derrière les autres ingrédients.

**3** Ajoutez du fromage frais découpé en lamelles de 5 mm de largeur et d'épaisseur. Roulez le tout.

**4** Coupez le rouleau en deux, posez les 2 moitiés côte à côte ; coupez encore deux fois pour obtenir 6 morceaux.

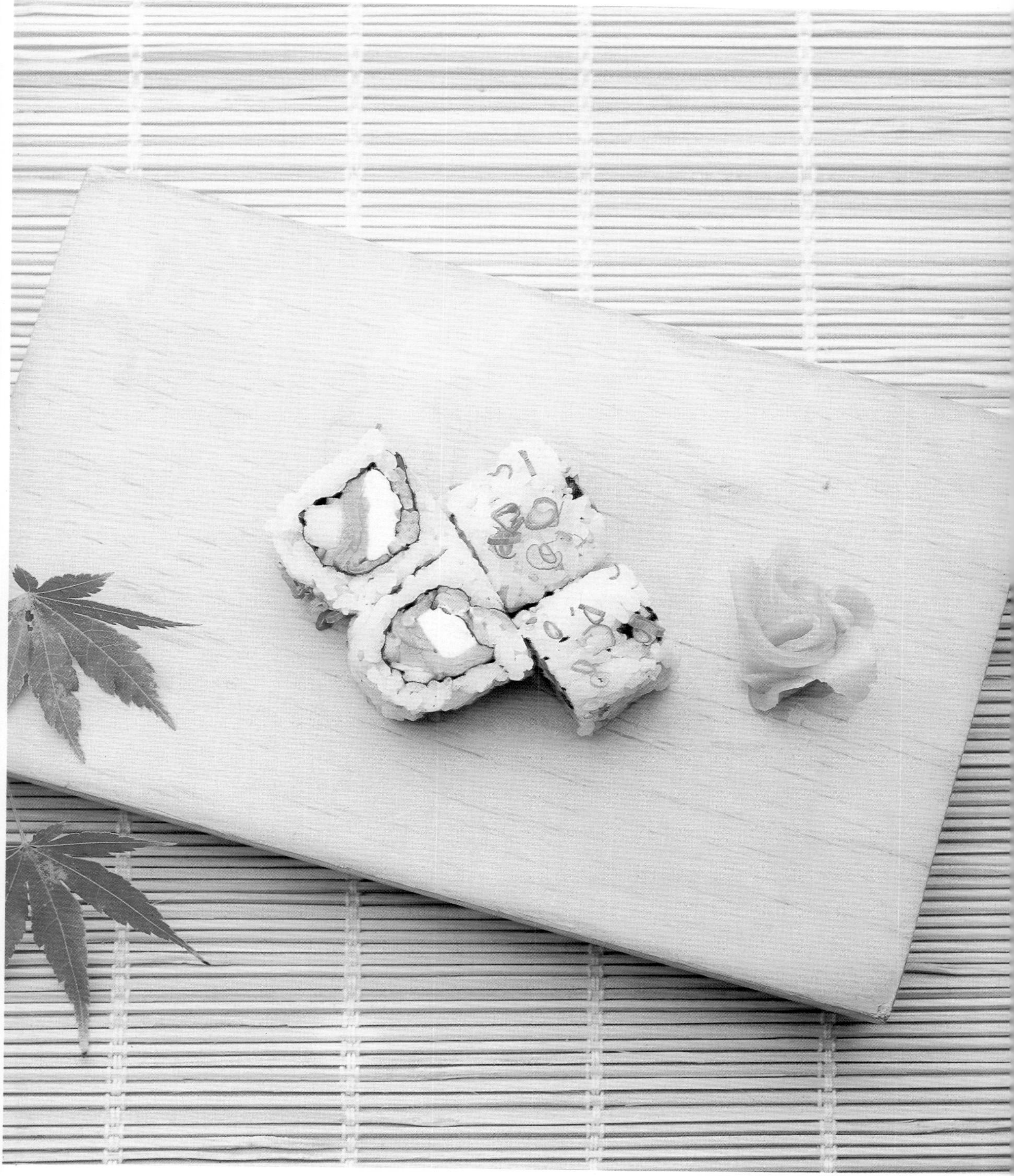

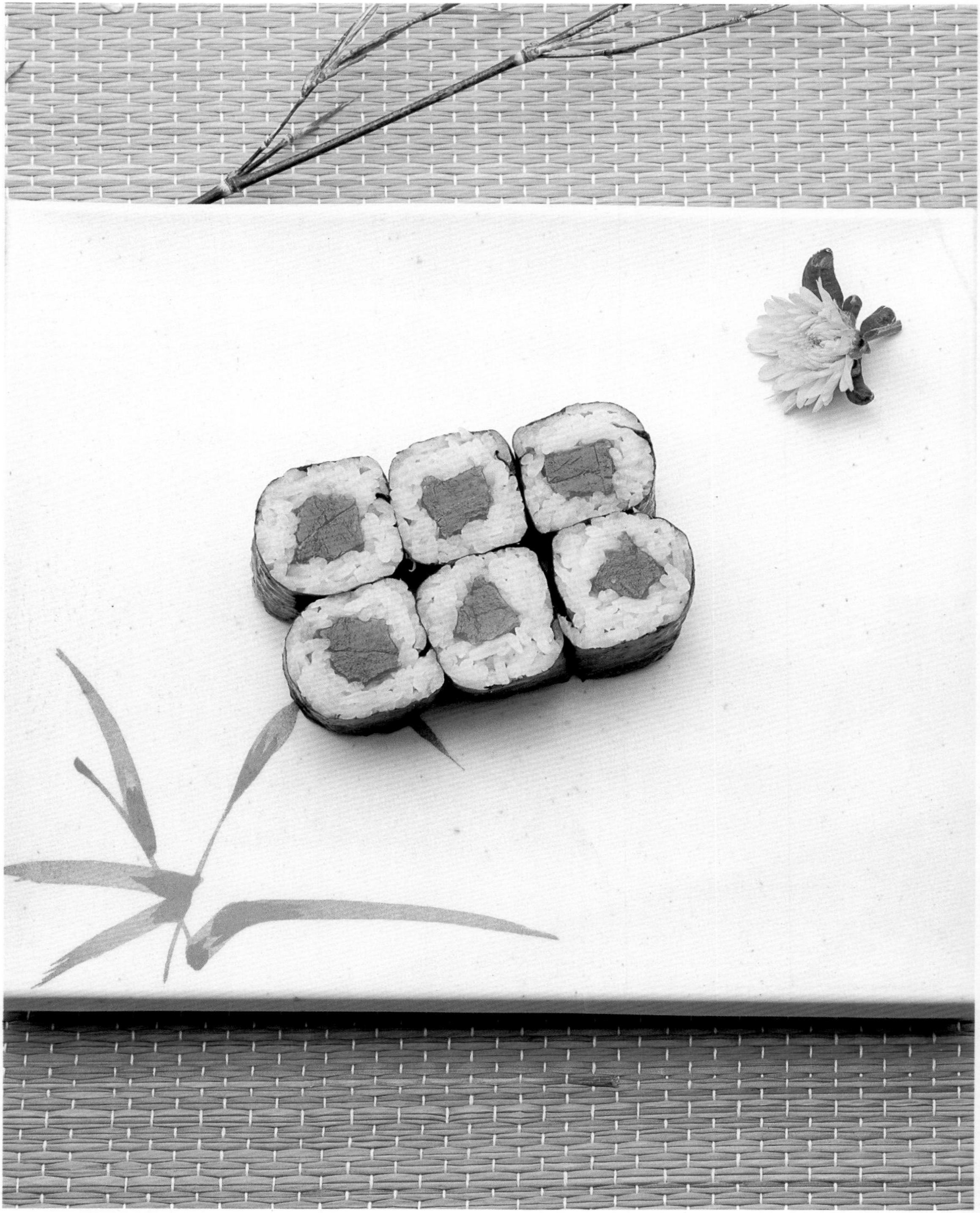

# LE SUSHI ÉPICÉ

Pour préparer un sushi épicé, choisissez des poissons au goût fort comme le thon, la bonite, le saumon blanc ou même le requin ; sinon, la chaleur des épices pourrait masquer la saveur du poisson. Si vous assaisonnez d'huile de sésame, évitez le filet ventral pour que votre sushi ne soit pas trop gras.

## Le sushi de thon épicé

Le *wasabi* (raifort japonais) et le vinaigre étaient les seules épices traditionnellement employées pour relever les sushis.

Au cours des dernières années, les sushis épicés sont devenus de plus en plus populaires.

Les épices les plus courantes sont la pâte de piment rouge (à base de piments, de sel et d'eau), l'huile de sésame (utilisée par certains *itamae*), les *wakegi* (ciboules, pour relever les aliments un peu fades) et les pousses de *daikon* (radis blanc). Semblables aux feuilles de cresson ou de moutarde, leur saveur très particulière est plus relevée.

Si vous n'êtes pas fanatique de cuisine épicée, commencez par en user modérément. Votre palais s'habituera aux saveurs fortes et vous pourrez servir à vos invités ces sushis raffinés qui leur mettront la bouche en feu !

Pour préparer un sushi épicé, préférez les *maki* aux *nigiri-zushi* (sushi effilé) : les papilles découvrent le mélange des saveurs du rouleau sans que la marinade brûle les lèvres ou la langue. Les *maki* inversés et les petits *maki* traditionnels conviennent aux sushis épicés. Voici deux préparations très appréciées au restaurant 'Yamato'

### Le rouleau casher épicé

Employez la technique du rouleau casher au saumon décrite à la page précédente. Garnissez de *wakegi*, de *goma* (graines de sésame) à volonté, de fromage et de saumon marinés dans un mélange de sauces de piment rouge et de soja. La saveur peut être tellement forte que vous pourriez oublier le saumon sans que personne ne s'en aperçoive !

*Ce thon mariné aux épices est servi dans un petit* maki.

**1** Mélangez dans un bol la sauce de soja et la pâte de piment rouge.

**2** Ajoutez une petite quantité de wakegi, hachée. Faites mariner le thon.

# LE CALMAR (*Ika*)

C'est un ingrédient essentiel que l'on consommait traditionnellement cuit, mais que de nombreux restaurants servent aujourd'hui cru ; de couleur blanchâtre, le calmar (ika) a une texture qui peut ne pas vous plaire. Lorsqu'il est cuit, sa peau rouge violacée rappelle celle du poulpe ; contrairement au tako dont on mange les tentacules, c'est le corps du calmar que l'on sert en sushi.

Pour préparer un calmar frais, commencez par saler abondamment vos mains (cela vous donnera une meilleure prise) ; prenez le corps dans l'une, les tentacules dans l'autre et séparez-les en tirant. Les viscères resteront accrochés aux tentacules.

Nettoyez soigneusement le corps du calmar avec beaucoup de sel. Retirez les nageoires et la peau épaisse ; rincez et séchez. Le calmar peut être présenté cru, tel quel ; vous pouvez aussi le faire cuire.

Pour cela, le plus simple est de fendre la poche ventrale d'un côté puis de l'aplatir entièrement. Pratiquez ensuite des petites entailles à 5 mm d'intervalle de part et d'autre de la chair. Cette découpe 'en pomme de pin' permet d'éviter que le calmar ne se recroqueville à la cuisson et attendrit la chair. La cuisson est très rapide : plongez le calmar dans une grande casserole d'eau bien bouillante pendant 15 secondes ; égouttez et laissez refroidir.

Ce calmar 'en pomme de pin' servira également à envelopper un rouleau. Étalez le calmar avec le *nori* (feuille d'algue) et garnissez de *shiitake* émincés, de *kampyō* (p. 34-35), de poisson blanc, de pois gourmands et de riz sushi. Roulez au *makisu* et découpez en tronçons.

Des petits calmars peuvent être cuits entiers dans un mélange de bouillon de *dashi*, de sauce de soja, de *mirin* et de sucre.

# LE TEMAKI

**1** Le 'salmon skin roll' est un *temaki* de saumon servi avec la peau préalablement grillée, très apprécié au 'Yamato'.

**2** Le saumon grillé est coupé en tranches minces.

**3** Un peu de riz, le saumon puis quelques légumes garnissent une demi-feuille de *nori*.

**4** Roulez en forme de cône de façon à ce que les ingrédients dépassent de l'ouverture du rouleau.

Parce que le riz n'est pas tassé et que les *temaki* sont moins remplis que les autres sushis (un rouleau classique contient déjà un peu moins de riz qu'un *nigiri-zushi*), ils sont idéals pour les personnes qui surveillent leur ligne.

On peut enfin remplacer le *nori* par de la salade (des feuilles de romaine notamment), pour un rouleau léger et rafraîchissant.

Cette innovation aussi est assez récente et rapidement devenue populaire. Les *temaki* sont des *maki* qui se roulent à la main, sans l'aide du *makisu*. Dans certains sushi-bars du Japon, les consommateurs peuvent commander un repas de *temaki* composé d'un bol de riz, d'un bol de *nori* et d'un assortiment d'ingrédients pour sushi comprenant notamment du poisson, du *kampyō* (courge séchée) et des condiments macérés au vinaigre. Chacun prépare ainsi les rouleaux à son goût.

Vous pouvez en faire autant chez vous. Les *temaki* se prêtent bien à un buffet de sushis, car vos invités se servent eux-mêmes des ingrédients de leur choix. Parmi tous ceux qui vous sont donnés dans ce livre, vous préférerez peut-être du thon, un bol de piments marinés (p. 84), des crevettes, du *kampyō*, du concombre, sans oublier du *gari* (gingembre macéré) et du *wasabi* (raifort japonais).

Certaines personnes essaient d'autres ingrédients tels que le poulet cuit, le bœuf cru ou saignant, le jambon, le fromage frais ou les pousses de *daikon* (radis blanc). Les *temaki* sont l'occasion de découvrir ce que vous n'avez encore jamais goûté, comme par exemple le *fuki*, pas-d'âne bouilli et salé, vendu en bocal.

Si vous utilisez des ingrédients mous ou semi-liquides comme les œufs de poisson ou l'oursin (*uni*), il vaut mieux rouler le *temaki* en forme de cône et y déposer le riz avant d'ajouter la garniture. Des demi-feuilles de *nori* seront dans ce cas plus pratiques, mais les quarts de feuilles sont plus maniables et plus conviviaux, tout le monde restant groupé autour du buffet.

# L'ŒIL DU TIGRE

**1** Fendez un filet de calmar cru par le milieu pour former un cylindre. Il faut un peu d'adresse pour ne pas l'ouvrir d'un bout à l'autre !

C'est le type même de sushi qu'un *itamae* aime créer pour prouver sa virtuosité. L'œil du tigre demande beaucoup de temps et une certaine dextérité.

**2** Recouvrez la moitié d'une demi-feuille de *nori* de saumon fumé en évitant de le faire dépasser des bords.

**3** Disposez une petite bande de *kamaboko* (pain de poisson blanc) au milieu du saumon. Ajoutez une crevette 'papillonnée' (p. 80).

**4** Couvrez-les d'une autre tranche de saumon fumé et passez à l'étape suivante.

**5** Roulez le tout. Si le rouleau n'entre pas dans le calmar, coupez tous les ingrédients en trop.

**6** Glissez le rouleau à l'intérieur du calmar.

**7** Le rouleau sera encore un peu flottant. Pour resserrer le calmar, passez le tout au gril quelques minutes.